D1484378

Dépôt légal:

Bibliothèque nationale du Québec

Bibliothèque nationale du Canada

Deuxième trimestre 1993

ISBN: 2-920932-09-8

Première édition

Publié par:

Les Éditions E.T.C. inc.

9675 Papineau, bureau 380

Montréal, Canada

H2B 1Z5

(514) 229-6564

Si interurbain: 1-800-361-3834

Télécopieur: (514) 382-7075

Collection
ÉCOUTE TON CORPS

LISE BOURBEAU
répond à vos questions sur:

LES PEURS
ET LES CROYANCES

3

ÉDITIONS E.T.C. INC.

Livres déjà parus de la même auteure:

REMERCIEMENTS

Merci à tous ceux
et celles qui assistent à
mes conférences
et ateliers.
Grâce à votre recherche
d'une meilleure
qualité de vie,
à votre intérêt pour les
enseignements
d'Écoute Ton Corps
et à vos multiples
questions,
j'ai pu créer cette
Collection Écoute Ton Corps.

*Un gros merci aux personnes
très spéciales qui
continuent depuis le début
à collaborer avec moi
afin de réaliser tous les livres
parus à ce jour.*

Table des matières

La peur, la foi et les croyances

Table des matières

La peur, la foi et les croyances

Table des matières

La peur, la foi et les croyances

Table des matières

INTRODUCTION

Les questions dans ce livret m'ont toutes été posées par des hommes et des femmes comme vous lors de mes conférences et de mes cours.

Ce recueil a été conçu pour vous assister dans la mise en pratique des notions que j'ai déjà couvertes dans mes trois premiers livres. À ceux qui ne les ont pas lus, je suggère fortement de le faire avant d'entamer la lecture des pages qui suivent.

Pour tirer vraiment avantage de ce livret, lisez la question et trouvez d'abord votre propre réponse avant de lire la mienne.

Vous remarquerez qu'il y a plus de questions provenant du sexe féminin que du sexe masculin. C'était à prévoir puisque les femmes sont plus nombreuses que les hommes à suivre des cours de croissance personnelle et à assister aux conférences. C'est le principe féminin en soi qui nous dirige vers une recherche intérieure personnelle. Par ailleurs, vous noterez que la plupart des questions auraient pu être posées autant par des hommes que par des femmes.

Dans ce livret, je n'ai pas traité de la peur de la mort car beaucoup d'autres peurs lui sont rattachées. Ce sujet fera plutôt partie d'un autre livret qui traitera de la mort, du monde astral, de la réincarnation, des obsessions et des cas de possessions. Aussi, la peur d'être abandonné et la peur du rejet seront traitées dans le livret portant sur l'estime et l'amour de soi.

De plus, un autre livret traitera en détail des moyens pour passer à l'action, de même que pour savoir faire la différence entre un désir et un besoin, le contrôle et le lâcher prise.

Certaines des questions de ce livret peuvent revenir dans d'autres livrets car elles touchent plusieurs thèmes étroitement liés.

Toutes les réponses données dans ce livret sont basées sur une approche qui a fait ses preuves et qui est au coeur de la philosophie de vie enseignée par le **Centre Écoute Ton Corps**. Je ne prétends pas avoir **LA** réponse à tout. Mais avant de vous dire: *"Je suis sûr que cette solution ne donnera pas le résultat que je veux"*, je vous suggère fortement de l'expérimenter au moins trois fois avant de la mettre de côté. Ne vous faites pas jouer de tour par votre mental! Laissez plutôt votre coeur décider et non la peur créée par le plan mental.

Si vous persistez à n'utiliser que ce que vous avez appris dans le passé pour gérer votre moment présent et que vous n'expérimentez rien de nouveau, ne soyez pas surpris si peu de choses changent pour le mieux dans votre vie.

Vous voulez de l'amélioration? Choisissez alors de vivre de nouvelles expériences!

Bonne chance!

Avec amour,

Lise Bourbeau

Lise Bourbeau

Lise Bourbeau
répond à vos questions sur

La peur, la foi
et les croyances

D'où viennent toutes ces peurs que nous vivons et pourquoi y a-t-il autant de personnes qui en vivent?

La peur est une création du plan mental. Ce dernier a été créé il y a très longtemps chez l'humain, pour lui permettre de penser, d'analyser et de mémoriser. Une des fonctions du plan mental est de garder en mémoire un incident qui lui a déjà fait peur. En cours de route, l'humain a pris la mauvaise habitude de croire à cette peur, de lui donner du pouvoir jusqu'à ce qu'elle devienne un dieu qui dirige sa vie.

La peur émerge en nous quand nous nous référons à notre mémoire, c'est-à-dire à ce qui nous est déjà arrivé ou à ce que nous avons déjà entendu, vu, senti, goûté ou touché. Exemple: quand une personne a peur des ascenseurs, elle se réfère au passé, soit à quelque chose qui lui est arrivé dans un ascenseur ou à quelque chose qu'on lui a raconté et qu'elle a cru. En bref, nos peurs nous indiquent que nous avons oublié **DIEU** qui s'exprime en nous par notre intuition et notre intelligence.

Pourquoi ai-je toujours du regret quand je pose une action? Je suis indécise et j'ai peur de me faire juger.

Parce que vous ne vous faites pas confiance. Vous vous basez sûrement sur des erreurs d'enfance pour lesquelles on a dû vous juger sévèrement. Depuis, au lieu de vivre votre moment présent, vous continuez à croire qu'un jugement sévère sera automatiquement porté suite à toute action que vous posez. Pour remédier à cette situation, vous devez commencer à vous faire plus confiance, c'est-à-dire à poser un geste tout en sachant d'avance qu'il pourra parfois être bénéfique pour tous et parfois non. Personne sur cette planète ne peut atteindre la perfection dans tous ses faits et gestes. Vous faites de votre mieux, au meilleur de votre connaissance et c'est tout ce qui compte. Avec le temps, au fil des expériences, ce "meilleur" deviendra encore plus excellent.

Comment arrive-t-on à vaincre une peur?

Premièrement, en réalisant que vous l'avez créée vous-même mentalement à un moment où vous en aviez besoin. Une peur est une croyance. Une croyance devient une personnalité parmi des centaines d'autres en vous. Chaque personnalité a sa propre volonté de continuer à vivre. Elle y arrive en faisant tout pour que vous agissiez en fonction de la croyance qui l'a créée. Toutes ces petites voix que vous entendez en vous viennent de ces différentes personnalités ou croyances que vous avez créées. C'est à vous de décider lesquelles de ces créations sont bénéfiques pour vous.

Quand vous devenez conscient que votre peur n'est plus du tout utile, vous devez vous donner le droit de ne plus en avoir besoin. Vous pourrez alors soit l'éliminer complètement, soit la transformer. Comparons cela à l'achat d'un manteau. Au moment de l'achat, vous en avez besoin, il vous est utile. Avec le temps, il devient inutile, il prend une place superflue dans votre garde-robe. Vous pouvez alors décider de le donner ou le détruire. Vous pouvez aussi le transformer en utilisant le tissu pour faire un autre vêtement. Quoi que vous fassiez, la décision vous appartient puisque c'est votre manteau. Il en va de même pour une peur. Vous seul pouvez la vaincre puisqu'elle est votre propre création, même si vous avez été influencé par quelqu'un d'autre.

Pour la transformer ou vous en débarrasser, parlez-lui, dites-lui qu'il est vrai que vous en avez eu besoin dans le passé; sauf qu'à présent, elle ne vous est plus utile. Précisez ce par quoi vous désirez la remplacer. Ensuite, vous devez passer à l'action. Vous devez faire des actions contraires à celles que vous faisiez sous l'influence de cette peur.

Pourquoi ai-je plus peur du monde des esprits à la noirceur? Le jour, je n'ai pas peur. C'est seulement durant la nuit où j'ai peur qu'ils viennent me visiter. Comment me débarrasser de cette peur?

Vous êtes sûrement une personne très psychique, c'est-à-dire une personne qui capte facilement ce qui se passe dans le monde astral. Étant jeune, vous avez dû avoir des visions d'entités du monde astral pendant la nuit ou durant votre sommeil et vous avez eu peur. Vous croyiez peut-être qu'elles faisaient partie de cauchemars, mais ces visions étaient bien réelles. Ceci arrive souvent aux enfants qui se couchent avec des peurs et qui, en plus, mangent beaucoup de sucre. Un prochain livret de cette collection traitera le sujet du **monde astral**.

En attendant, vous devez devenir moins psychique, en fermant l'ouverture du plexus solaire au monde astral, le monde des émotions. Le moyen le plus efficace que je connaisse est de devenir responsable uniquement de votre vie et non de celle de tous ceux qui vous entourent. Un livret est déjà paru sur le sujet, il est intitulé **La responsabilité, l'engagement et la culpabilité**. Vous y trouverez des éléments complémentaires à ceux couverts dans ce présent livret qui vous aideront sûrement.

Avez-vous une affirmation à suggérer dans le cas de peurs qui bloquent l'abondance? Malgré mes bonnes intentions, certaines de mes vieilles idées reviennent encore parfois et je réalise qu'elles me nuisent.

Il n'est pas nécessaire de trouver une phrase magique pour composer une affirmation. Vous n'avez qu'à affirmer ce que vous voulez voir se manifester dans votre vie. Cependant, une affirmation doit toujours être formulée au présent. Exemple: *"Je suis un canal ouvert à l'abondance dans ma vie. L'univers s'occupe de manifester tous mes vrais besoins.''* Tout en répétant l'affirmation, visualisez ce que vous voulez comme étant déjà arrivé, tout en sentant en vous la joie d'avoir atteint votre objectif.

Pour ce qui est de vos peurs, sachez que vous devez leur donner le temps de disparaître ou de se transformer. Imaginez une de vos peurs comme une forme-pensée que vous avez créée et qui flotte à côté de vous. Quand cette peur gagne sur vous, vous lui donnez de la nourriture et elle grossit. Quand elle ne gagne pas, c'est-à-dire lorsqu'elle n'influence pas vos actions, cette peur ou forme-pensée rapetisse lentement puisqu'elle n'est plus nourrie par vous. N'en voulez pas à votre peur de ne pas vouloir partir tout de suite. Après tout, c'est vous qui l'avez créée et maintenant elle veut continuer à vivre. Ayez de la compassion pour votre création et donnez-lui le temps de se transformer sans vous impatienter et sans vous critiquer.

Vous semblez dire qu'il est négatif d'avoir des croyances. J'ai toujours pensé que ce que nous croyons et pensons nous arrive. C'est écrit dans la Bible. Il est vrai que j'ai vu des croyances changer en cours de route, comme ce que nous pensons de nous par exemple. N'est-il pas normal d'avoir des croyances?

En effet, il nous arrive ce à quoi nous croyons et pensons. D'ailleurs, les pensées viennent des croyances. Je ne dis pas qu'il est négatif de croire à quelque chose. Je dis plutôt qu'il est très important de devenir conscient de nos croyances car la plupart ne sont pas bénéfiques pour nous. Depuis notre jeune âge, nous avons accepté de croire à de nombreuses choses pour faire plaisir à nos parents, pour nous protéger, pour cacher notre vulnérabilité, pour être aimés davantage, etc. Comme vous le voyez, la motivation derrière ces croyances est la peur.

Une croyance basée sur la peur n'est jamais bénéfique. Une croyance est une création du plan mental; celui-ci est le plan le plus haut du monde matériel qui comprend les plans physique, émotionnel et mental. Pour cette raison, il se manifeste toujours ce à quoi nous croyons dans notre monde matériel. Je suggère de transformer une croyance non bénéfique en une croyance bénéfique pour éventuellement arriver à tout savoir plutôt qu'à croire. C'est cela évoluer, se diriger vers le monde spirituel. Dans la conclusion de ce livret, j'explique comment et pourquoi l'humain doit arriver à savoir plutôt que croire.

J'ai toujours pensé que si j'étais très croyante, cela voulait dire que j'avais une grande foi. Êtes-vous d'accord avec cela?

Croire à quelque chose ou en quelqu'un et avoir la foi sont deux choses différentes. Croire veut dire "tenir pour vrai". Nous pouvons modifier nos croyances car quelque chose que nous tenions pour vrai dans le passé ne l'est pas nécessairement aujourd'hui. Avant d'accepter une nouvelle croyance, une personne intelligente vérifie en elle (avec son **DIEU** intérieur) si le fait de croire à cette nouvelle chose la fait se sentir bien. Aussitôt qu'une croyance suscite ou engendre de la peur, elle n'est pas bénéfique.

Avoir la foi veut dire "croire fondamentalement

en notre puissance intérieure, en **DIEU**, en l'univers". C'est savoir que spirituellement, il nous arrive toujours ce dont nous avons besoin et que chaque chose, chaque personne ou rencontre dans notre vie peut être une occasion pour grandir.

Voici une illustration qui fait bien la différence entre croire et avoir la foi:
vous connaissez un équilibriste qui peut marcher sur un fil de fer suspendu très haut dans les airs tout en poussant une brouette. Si vous croyez en lui, vous direz de lui à ceux qui vous le demandent: *"Oui, je crois qu'il est un excellent équilibriste et qu'il peut réussir à traverser le fil sans problème."* Si, en plus, vous avez la foi, vous vous assoirez en toute confiance dans la brouette lorsqu'il marchera sur le fil de fer.

Une personne qui croit en une religion, en une personne, une idée, etc., n'a pas nécessairement la foi. Elle peut être très croyante tout en étant remplie de peurs. Ces dernières indiquent son manque de foi puisque la peur est le contraire de la foi. C'est la même énergie, mais utilisée de façon différente. Avoir la foi, c'est croire fondamentalement qu'il nous arrivera ce que nous voulons, ce dont nous avons besoin. Avoir peur, c'est croire qu'il nous arrivera ce que nous ne voulons pas.

Je souffre de claustrophobie. Est-ce guérissable?

Tout est guérissable si l'être humain le décide. Pour se guérir, il faut plus que croire. Il faut savoir au plus profond de soi que nous sommes l'unique créateur de tout ce que nous sommes: notre corps, nos maladies, comment nous réagissons aux gens autour de nous et aux divers événements qui arrivent dans notre vie, etc. Arriver à cette foi profonde prend beaucoup de pratique. Toutes les phobies sont des peurs chroniques qui sont devenues des formes-pensées tellement énormes qu'elles ont même pénétré votre champ d'énergie et s'en nourrissent. Voilà pourquoi une personne phobique se sent continuellement vidée d'énergie.

En ce qui vous concerne, vous avez peur d'être enfermé. Vous êtes sûrement angoissé juste à y penser. Cette peur vous vient-elle de cette vie-ci ou d'une autre? Peu importe. L'important est de prendre la décision de vous en sortir. Cette décision vient du plan mental. Ensuite, exercez-vous à sentir ce que vous vivriez à l'idée d'être enfermé tout en ne cédant pas à la peur. Vous activez ainsi votre corps émotionnel. Puis, passez au plan physique en faisant des actions. Placez-vous dans une situation où vous êtes enfermé pendant quelques secondes seulement pour commencer. Peu à peu, augmentez à quelques minutes. Allez-y graduellement, donnez-vous le temps d'y arriver car votre peur, étant devenue une phobie, est plus longue à transformer. Aussi, je vous suggère de lire attentivement le livret portant sur la **responsabilité** et un prochain à venir portant sur le **monde astral**.

Une personne phobique est une personne psychique. Elle est beaucoup trop ouverte au niveau du plexus solaire. Cette ouverture est habituelle-ment créée très jeune. Elle est jugée nécessaire pour être toujours aux aguets, pour prévenir les coups. En effet, c'est par le plexus solaire que l'humain entre en contact avec ce que ressentent les autres et qu'il en est lui-même affecté.

Par exemple, une petite fille qui a peur de l'un de ses parents sera sans cesse alerte aux humeurs de ce parent, pour savoir jusqu'où elle peut aller sans se faire disputer. C'est ainsi que le plexus solaire prend l'habitude d'être ouvert et que cette petite fille, devenue adulte, continue à demeurer ouverte en croyant que cela l'aidera à prévenir les coups.

Toutefois, en étant ainsi ouverte, elle est affectée par les peurs et les émotions de tous ceux qui l'entourent. Ce genre de personne en vient à croire que si elle peut rendre heureux tous ceux qui l'entourent, elle ne sera pas affectée parce qu'elle les aura aidés à éviter des peurs et des émotions. Cette personne se donne un mandat impossible. Personne sur cette terre n'a le pouvoir de rendre les autres heureux et de maintenir ce bonheur. C'est pourquoi je vous conseille de réviser votre notion de responsabilité.

Comment puis-je me débarrasser de l'agoraphobie?

Pour commencer, je tiens à décrire l'agoraphobie car des milliers de personnes souffrent de cette phobie et ne le savent pas. Elles sont même souvent soignées pour de l'angoisse ou pour une dépression, ce qui peut leur nuire plutôt que de les aider.

L'agoraphobie se caractérise par une peur marquée d'être loin d'un endroit et/ou d'une personne sécurisante. La personne sécurisante est ordinairement le conjoint, un parent ou un ami. L'endroit sécurisant est habituellement le domicile de la personne agoraphobe. Ainsi, l'agoraphobe craint de se retrouver seul dans un endroit public d'où il pourrait difficilement s'enfuir et craint ne pas recevoir de secours rapide en cas de malaises subits. Il en vient donc à éviter toutes les situations pouvant provoquer une insécurité psychologique et reste ainsi le plus souvent chez lui, n'osant sortir qu'à l'occasion, accompagné d'un partenaire sécurisant.

Les situations anxiogènes entraînent chez l'agoraphobe des réactions physiologiques (palpitations cardiaques, étourdissements, tension ou faiblesse musculaire, transpiration, difficultés respiratoires, nausées, incontinence, etc.) qui peuvent mener à la panique. Elles entraînent aussi des réactions cognitives (sentiments d'étrangeté, peur de perdre le contrôle, de devenir fou, d'être humilié publiquement, de s'évanouir ou de mourir, etc.) ainsi que des réactions comportementales (fuite des situations anxiogènes et évidemment de tout endroit qui lui apparaît éloigné de la personne ou du lieu sécurisant).

Généralement, les agoraphobes craignent de perdre connaissance, de tomber, d'avoir une crise cardiaque, d'avoir l'air fou, de devenir fou. La peur et les sensations qu'ils ressentent sont excessivement fortes, au point même de leur faire éviter les situations d'où ils ne pourraient s'enfuir. En fait, les catastrophes anticipées ne se produisent jamais. De même, l'agoraphobe ne perd pas le contrôle. Il a plutôt l'impression de le perdre ou, plus souvent qu'autrement, il a peur d'avoir peur. Voilà pourquoi on décrit souvent l'agoraphobie comme "la peur d'avoir peur".

Les individus atteints de ce problème ne sont pas des malades et surtout pas des malades mentaux. D'ailleurs, ils n'osent pas en parler car ils ont peur de passer pour des fous. Pour la plupart, cette phobie est apprise. En général, il est difficile de connaître avec précision ce qui a déclenché cette réaction la première fois. Selon mes observations, le déclenchement se ferait très jeune quand la personne perd quelqu'un de très cher: mère, père, grand-mère, grand-père, oncle, tante, frère, soeur, ou toute autre personne importante affectivement au moment du départ ou de la mort.

Les attaques d'agoraphobie semblent s'amplifier après chaque changement majeur de la vie: puberté, fiançailles, mariage, grossesse, maladie, accident, séparation, divorce, mort de quelqu'un, etc. Quelquefois, l'agoraphobie se développe graduellement dans un milieu protecteur et/ou rigide, ou dans un environnement conflictuel.

Ma réponse à la personne qui souffre de claustrophobie vous indiquera maintenant comment arriver à vous défaire de votre agoraphobie.

Je rêve très souvent à des gens qui sont ivres et j'ai très peur de cela dans ma vie. J'ai peur qu'ils vomissent sur moi. Je m'empêche même de faire des voyages en groupe à cause de cela. Qu'en pensez-vous? Que puis-je faire face à ce problème?

Cette peur semble être devenue une obsession. Le seul fait d'en rêver aussi souvent démontre que vous en êtes obsédée. Heureusement qu'à travers vos rêves, vous vous libérez en partie de vos angoisses. Les rêves servent de soupape de sécurité, ce qui aide beaucoup à exprimer des peurs ou des émotions qui sont refoulées en nous à l'état de veille.

Maintenant, d'où vient cette peur? Le savez-vous? Quelqu'un d'ivre a-t-il déjà vomi sur vous quand vous étiez jeune? Avez-vous été témoin d'un tel incident? En avez-vous entendu parler par une tierce personne ayant vécu cette expérience? Si vous ne vous en souvenez pas, acceptez le fait que cette peur a été enregistrée en vous à un moment donné de votre vie.

Voilà un bon exemple d'un événement passé, enregistré dans votre mémoire, que vous avez laissé devenir votre maître, un faux dieu. Cette mémoire est constamment présente en vous. Elle semble gagner souvent car vous en êtes rendue à éviter les groupes. Vous gérez votre vie en fonction de cette peur. En agissant de la sorte, vous l'alimentez un peu plus chaque jour de sorte qu'elle prend davantage de poids, de pouvoir au fil des années. C'est ainsi qu'une petite peur devient une grosse peur, puis une phobie.

Vous aurez à prendre votre courage à deux mains et décider de faire des actions contraires à celles que vous faites présentement. Comme je l'ai conseillé aux autres personnes ayant des phobies, commencez par des petites actions et augmentez-les graduellement, à mesure que vous deviendrez plus sécure.

Mes croyances viennent-elles toutes de mes parents?

Pas nécessairement. Elles peuvent avoir appartenu à vos parents ou à vos éducateurs lorsque vous étiez jeune et vous avez tout simplement décidé de croire à la même chose qu'eux. Vous avez donc la même façon qu'eux de percevoir la vie.

Une croyance est une conclusion qui a été tirée suite à un événement ou circonstance qui a eu un impact sur nous. C'est un jugement sur ce qui est bon ou non pour soi. Elles peuvent donc aussi venir de votre propre perception de quelque chose que vous avez vécu ou observé étant jeune. En effet, les recherches psychologiques disent que la grande majorité de nos croyances inconscientes sont décidées avant l'âge de sept ans.

De plus, il arrive fréquemment que ceux qui sont en réaction à leurs parents, qui ne veulent pas être comme eux, choisissent de croire l'opposé de ce à quoi leurs parents croyaient pour éviter de devenir comme eux. Une telle façon d'agir engendre beaucoup de stress émotif car cela crée deux personnalités contradictoires.

Prenons l'exemple d'une fille ayant une mère très soumise. Cette fille, qui ne veut pas être comme sa mère, décide donc de croire qu'il est mieux de s'affirmer. Cependant, cette croyance est basée sur une autre qui dit: *"Il n'est pas correct d'être soumise."* Le subconscient ne comprend que les images évoquées par les mots; une personnalité soumise se développera donc de façon inconsciente, tandis que l'autre personnalité qui s'affirme se développera de façon consciente. Le stress vient du fait qu'à chaque fois qu'une des personnalités prend le dessus, l'autre dispute et défend sa cause. La personne se sent alors coupable, quelle que soit l'attitude qu'elle adopte: soumise ou affirmative.

Si la croyance est quelquefois plus forte que la pensée, comment fait-on pour identifier et surtout changer cette croyance quand la pensée

n'en vient pas à bout?

En réalité, votre pensée est basée sur vos croyances. Elle ne peut donc pas venir à bout des croyances. Vous seul, en tant qu'être spirituel, pouvez avoir de l'influence sur vos croyances et celles-ci auront de l'influence sur vos pensées.

Pour identifier une croyance, vous n'avez qu'à observer les résultats que vous obtenez dans votre vie. Ce qui vous arrive est le résultat de vos croyances. Donc, si le résultat n'est pas à votre goût, vous savez que la croyance qui se cache derrière n'est pas bénéfique pour vous. Elle ne vous apporte pas le bonheur, le bien-être intérieur que vous recherchez. En remontant de la sorte jusqu'à la cause, vous serez en excellente position pour améliorer la qualité de votre vie.

Maintenant, comment changer une croyance une fois que vous l'avez identifiée comme étant non bénéfique? En acceptant qu'au moment où vous avez cru à telle ou telle chose, vous aviez jugé que c'était la bonne chose pour vous. Vous avez donc agi au meilleur de votre connaissance. Vous ne devez pas vous critiquer et vous en vouloir d'avoir cru à cela.

Décidez qu'à partir de maintenant, il est préférable pour vous de croire à autre chose. Commencez à créer une nouvelle forme-pensée en vous imaginant que vous croyez le contraire. Ensuite, faites des actions en fonction de cette nouvelle croyance. Sentez s'ouvrir en vous des portes que vous ne croyiez pas présentes. C'est la joie de l'apprentissage et de la découverte. C'est ainsi qu'une nouvelle croyance se développe et que l'ancienne disparaît graduellement, faute de nourriture.

Si je demande une chose avec foi, mais que cette chose pourrait ne pas être bonne pour moi, comment arrêter de la vouloir?

Il manque un élément dans votre question. Saviez-vous que votre demande n'était pas bonne pour vous avant de la faire ou l'avez-vous découvert par la suite? Si vous demandez une chose que vous savez ne pas être bonne pour vous, c'est que vous cachez sûrement une peur. Qu'avez-vous peur qu'il vous arrive si vous arrêtez de vouloir cette chose ou si vous ne l'obtenez pas? Lorsque vous devenez conscient et avez accepté ce qui motive votre demande, il est alors plus facile d'arrêter de vouloir cette chose.

Une personne qui fait une demande avec foi accepte d'avance qu'il lui arrivera seulement ce qui lui est bénéfique. Elle accepte qu'il y a en elle une puissance beaucoup plus forte que son mental qui connaît ses vrais besoins et qui sait ce qui est le mieux pour son évolution spirituelle. La façon idéale de demander quelque chose est de demander cette chose, ou mieux. Dites à votre **DIEU** intérieur que vous êtes ouvert à autre chose et que vous voulez seulement ce qui est bon pour vous.

Lorsque je décide d'avoir une discussion avec mon épouse et qu'elle me contredit, tout bloque. Je ne suis plus capable de parler ni d'exprimer mon opinion. Pourquoi?

Dans cette question, je peux voir le petit garçon qui a peur de s'exprimer à sa maman. Allez voir plus jeune. Pouviez-vous vous exprimer librement avec votre mère? Si non, quelle peur vous empêchait de le faire? C'est souvent très jeune qu'une telle peur se développe. Dans votre cas, c'est peut-être arrivé au moment où vous commenciez à vous exprimer et votre mère, n'ayant pas aimé ce que vous aviez dit, vous a disputé. Cela peut même remonter au moment où vous pleuriez, étant bébé, et que votre mère essayait de vous faire taire.

Quelle que soit la source de cette peur, sachez que votre mère, tout comme votre épouse, a toujours agi au meilleur de sa connaissance et selon son degré de conscience. Vous seul avez décidé qu'il était mieux de ne pas parler plutôt que de contredire quelqu'un d'autre.

De plus, il est fort probable que votre épouse ait autant peur que vous, sinon plus. Aussitôt que vous voulez parler, elle a peut-être une peur bleue de se faire réprimander ou accuser, comme son père le faisait tout probablement. Vous n'êtes pas ensemble par hasard. En général, deux conjoints ont en commun les mêmes peurs, quoiqu'elles puissent être exprimées différemment. Je vous suggère fortement de parler de vos peurs, à votre épouse et de lui demander quelle attitude son père avait avec elle et avec sa mère. Vous découvrirez sûrement des choses intéressantes sur vous deux.

Mon mari a une peur bleue de manquer d'argent même s'il a un travail permanent et une épouse qui a une sécurité d'emploi. Que faire ou que dire?

Malheureusement, vous ne pouvez pas enlever une peur à quelqu'un d'autre. Dans votre question, vous ne me dites pas si vous, vous avez peur. Ce n'est pas par hasard que vous vivez avec cet homme. Dans un couple, il est très courant que l'un dise avoir peur alors que l'autre affirme le contraire. Nous sommes toujours attirés par quelqu'un qui peut nous aider à voir les aspects de soi dont nous ne sommes pas encore conscients. J'en tire donc la conclusion que vous ne voyez pas encore la partie de vous qui a peur alors que votre mari ne voit pas la partie de lui qui fait confiance à la vie.

Se peut-il que vous ayez décidé qu'il n'est pas correct d'avoir peur? Le problème est que ces peurs sont quand même là, même si vous les refoulez au plus profond de vous. Un jour, vous ne pourrez plus les contrôler et elles feront surface avec force. Il est donc préférable de les regarder en face dès maintenant et de leur dire que vous n'avez plus besoin d'elles.

Plusieurs personnes croient qu'en admettant leurs peurs, celles-ci seront plus fortes; mais c'est le contraire. Pour que quelque chose se transforme, nous devons commencer par lui donner le droit d'être là, sans juger, sans critiquer, sans accuser. Nous devons ensuite décider de ce qui serait bénéfique pour soi à la place. Refouler une peur en soi prend beaucoup d'énergie . Utilisez plutôt cette énergie pour vous créer une vie sans peurs.

En ce qui concerne votre mari, ne le forcez pas à changer. Discutez plutôt de tout cela ensemble. Commencez par vous ouvrir en lui avouant que vous vivez aussi des peurs, mais que vous vous forcez pour ne pas les voir, pour telle ou telle raison. Demandez-lui comment il se sent, comment ses parents agissaient face à l'argent. En communiquant ainsi ensemble, vous avez plus de pouvoir pour vous aider mutuellement.

J'ai été malheureuse tellement longtemps que lorsque je suis heureuse, j'ai peur que quelque chose de terrible m'arrive. En une phrase, j'ai peur d'être punie pour avoir été heureuse. Que faire?

En étant consciente d'une croyance non bénéfique pour vous, vous avez déjà une bonne étape de franchie. Voici ce que je vous suggère: lorsque vous serez seule chez vous, placez deux chaises face à face. Une des chaises représente la partie de vous qui a peur d'être punie si elle vit du bonheur et l'autre représente la partie heureuse en vous. Assoyez-vous sur la chaise qui représente votre partie heureuse. Vous devenez alors cette partie qui demande à l'autre pourquoi elle a peur d'être punie. Demandez-lui en quoi cette croyance peut vous aider en ce moment. Vous pouvez même lui demander quel âge vous aviez quand vous l'avez créée. Ensuite, assoyez-vous sur l'autre chaise. Vous devenez ainsi l'autre partie qui répond. Continuez à vous déplacer ainsi d'une chaise à l'autre jusqu'à ce que le dialogue entre vos deux parties soit terminé.

Laissez toujours venir la première chose qui monte. N'essayez pas d'analyser, de comprendre. Le plus important est de savoir que chaque partie en vous a été créée pour vous aider. Chacune a sa raison d'être et croit à son importance. C'est à vous de faire réaliser à la partie qui a peur d'être punie qu'elle peut changer, maintenant que vous avez évolué. Vous pouvez négocier avec chaque partie en vous. Considérez ces parties comme des créatures individuelles ayant leur propre volonté de vivre. Toutefois, il doit être clair que le dernier mot vous revient et que seule votre décision doit l'emporter.

Vous dites que si l'on exprime verbalement ce que l'on veut, alors qu'à l'intérieur on a peur de récolter le contraire, ce que l'on veut n'arrive pas. Comment faire alors pour faire taire cette voix de la peur qui est profondément ancrée en nous?

En effet, c'est toujours ce à quoi nous croyons qui finit par nous arriver. Une peur intérieure nous indique une croyance non bénéfique en nous qui a beaucoup de pouvoir. Cependant, j'ai vu plusieurs cas où des personnes ont réussi à avoir ce qu'elles voulaient malgré qu'elles aient eu peur de récolter le contraire. Quand quelqu'un se programme mentalement, il peut, à force de volonté, faire arriver ce qu'il veut en repoussant sa peur. Par contre, s'il conserve sa peur, celle-ci reprendra éventuellement le dessus et il finira par perdre ce qu'il avait obtenu.

Je ne vous conseille pas de faire taire la voix de la peur en vous. Je vous suggère plutôt de faire le contraire. Reconnaissez qu'elle est là et laissez-la vous parler. Dialoguez avec cette partie de vous que vous avez créée en fonction d'une de vos croyances. Négociez avec elle. Faites-lui part de vos désirs et du fait que vous êtes maintenant conscient que vous pouvez fonctionner sans elle. Dites à la partie de vous qui représente votre peur et croyance, que vous avez décidé de reprendre la direction de votre vie, que vous êtes maintenant le maître et que vous avez terminé de lui donner votre pouvoir.

Vous parlez de croyances afin de réaliser nos désirs. De quelle façon puis-je me convaincre que j'y crois lorsque mon moi intérieur me dit le

contraire?

Si en vous, vous croyez encore le contraire de ce que vous désirez, vous ne pourrez pas vous convaincre que vous croyez à la réalisation de vos désirs. Soyez conscient que votre nouvelle croyance n'est pas encore assez forte pour l'emporter sur l'ancienne, c'est-à-dire sur la partie de vous qui a peur. Continuez à demeurer en contact avec le fait qu'il y a deux croyances contraires en vous. Alimentez davantage celle qui est bénéfique pour vous et éventuellement, elle finira par l'emporter.

J'avais une vie très active et abondante et je ne comprends pas le message que mon mari m'a laissé en se suicidant. Je cherche depuis un an et demi. Maintenant, j'ai peur de recommencer la vie active que j'avais. Avant de partir, mon mari m'a dit qu'il n'était plus capable de me suivre dans mon évolution. Pouvez-vous m'aider?

Voici encore un autre exemple de quelqu'un qui laisse la mémoire d'un événement passé décider de son avenir. Si une personne reste coincée dans un ascenseur une fois, cela veut-il dire que tous les autres ascenseurs qu'elle utilisera dans l'avenir seront défectueux? Il en va de même pour vous. Sur quoi vous basez-vous pour décider de croire que votre vie active était la cause du suicide de votre mari? Il vous a fait part de ce qu'il vivait, de ce qu'il croyait. Cela lui appartenait et n'a rien à voir avec vous. Votre mari avait son plan de vie et vous avez le vôtre.

Il est important pour vous de reprendre contact avec ce que vous voulez de la vie. Votre décision de ne plus rien faire aide qui? Certainement pas votre mari! Et vous? Êtes-vous heureuse? De plus, vous ne pourrez jamais connaître la raison profonde de la décision de votre mari. Lui seul la connaît. Alors allez-y, écartez ces peurs que vous êtes en train de développer et donnez-vous le droit de vivre dans la joie! Ce n'est pas parce que c'était au-delà des limites de votre mari de le faire que vous ne pouvez pas le faire!

Mon mari et moi avons les deux mêmes semaines de vacances. Il est agoraphobe. Il a peur des tunnels, des ponts, des autoroutes, etc. J'ai donc décidé de prendre des vacances en Europe avec une copine, car son agoraphobie m'affecte trop et me rend insécure. Je me sens terriblement coupable de partir pour l'Europe. Mon billet d'avion n'est même pas acheté. J'ai besoin d'évoluer, mais je me sens toujours coupable vis-à-vis mon mari. Dois-je aller en voyage? Que faire? Puis-je aider mon mari à se débarrasser de son agoraphobie?

J'ai déjà répondu à la question de l'agoraphobie dans ce livret. Malheureusement, il n'y a que votre mari qui puisse se guérir de son agoraphobie. Toutefois, vous pouvez l'aider en vous aidant vous-même. Dans votre question, je perçois une dame qui a très peur. Ce n'est sûrement pas en développant de plus en plus de peurs en vous que vous aiderez votre mari. Vous n'avez peut-être pas les mêmes peurs que votre mari mais elles sont présentes quand même. Lui, étant très psychique, peut tout capter de vous.

Prenez donc le temps de vérifier et d'identifier vos peurs. Si vous partez, de quoi avez-vous peur?

Si vous restez, de quoi avez-vous peur? Ensuite, exprimez ces peurs à votre mari et dites-lui ce que vous avez l'intention de faire pour faire face à ces peurs. Votre exemple l'aidera sûrement. Toutefois, vous ne pouvez exiger que votre mari se prenne en main parce que vous voulez le faire. Vous n'êtes pas avec lui par hasard, il est là pour vous aider à voir vos propres peurs.

Je suis très rêveuse. J'ai une grosse croyance à l'effet que tout est possible à quelqu'un qui croit. Par contre les gens autour de moi me disent constamment que je dois faire face à la réalité. Il est tellement plus agréable de rêver que de faire face à la réalité. Dois-je continuer à être moi-même en continuant de croire que l'impossible se réalisera un jour ou dois-je vraiment faire face à la réalité? Aidez-moi!

Je vois ici un cas probable de foi aveugle. Il est important de croire en soi et de savoir que tout est possible pour l'être humain, mais je me dois d'ajouter que cette croyance doit être supportée par des actions. Êtes-vous une personne active? Osez-vous prendre des risques basés sur la foi ou ne faites-vous que rêver et attendre que tout arrive? Si vous ne faites que rêver et n'êtes pas dans l'action, vous êtes irréaliste. Vous ne pouvez rien récolter si vous ne semez rien. Vous devez revenir sur la planète Terre. Vous avez, comme tous les humains, un plan de vie et quelque chose à accomplir pour votre évolution. Comme cette planète est une planète matérielle, vous ne pouvez apprendre que dans l'expérience et non dans le rêve.

Si, au contraire, en plus de rêver, vous êtes bien

active et avez une foi inébranlable, vous pouvez écouter ce que les autres vous disent en réalisant qu'ils ne font que vous transmettre ce à quoi ils croient. Ils veulent simplement vous aider.

Y a-t-il des moyens pour augmenter ma foi?

Pour développer quoi que ce soit, le moyen le plus rapide est de faire des actions. Il est important de réaliser que la foi est déjà présente en nous tous. Vous ne pouvez pas l'augmenter, vous ne pouvez qu'enlever les enveloppes mentales qui la couvrent. C'est la raison pour laquelle j'utilise le terme "développer". À force de faire des actes de foi, c'est-à-dire en prenant des risques même si vous avez peur tout en sachant que vous vous en sortirez toujours, les enveloppes cachant votre foi disparaîtront.

Pourquoi parlez-vous toujours d'action? La foi fait partie du monde spirituel et les actions du monde physique. Quel lien y a-t-il?

La planète Terre étant une planète matérielle, nous sommes ici pour expérimenter **DIEU**, notre puissance divine, à travers le matérialisme. Ceux qui croient que **DIEU** n'existe que dans le monde invisible se coupent de la réalité. Le monde ou le plan matériel comprend les dimensions mentale, émotionnelle et physique. Faire une action nous permet de penser (mental), de sentir (émotionnel) et d'agir (physique), activant ainsi les trois dimensions et mettant donc toutes les chances de notre côté pour la manifestation de nos désirs dans le plan matériel. De plus, quand cette action est faite en ayant pour guide notre **DIEU** intérieur, nous ne sommes pas dans l'erreur. C'est lorsque nous oublions **DIEU** que nous faisons des erreurs et que nous prenons une route plus difficile et plus compliquée.

Qui peut dire que ce à quoi je crois n'est pas bon? Qui détient la "vraie" vérité?

Vous seul pouvez savoir si ce à quoi vous croyez est bénéfique ou non pour vous. C'est très simple à vérifier. Observez les résultats que vous avez dans plusieurs domaines, tels que vos relations avec vos parents, avec vos enfants, avec vos amis, avec votre conjoint, vos relations sexuelles, votre travail, votre santé, vos biens matériels, l'argent, votre liberté, etc. Vos croyances vous apportent-elles les résultats désirés dans ces domaines? Si oui, gardez-les! Si, par contre, un ou plusieurs de ces domaines ne vont pas à votre goût, vous savez que vos croyances dans ces domaines ne sont pas bénéfiques pour vous. Il n'en tient qu'à vous d'en devenir conscient et de transformer ces croyances.

Qui détient la "vraie" vérité? Seul votre **DIEU** intérieur détient votre vérité. Il sait exactement ce qui vous est nécessaire. N'est-il pas merveilleux de savoir que vous avez tout en vous? Cela ne vous empêche pas toutefois d'écouter ou d'apprendre avec d'autres personnes. Ces dernières peuvent vous aider à vous éveiller, nous en avons tous besoin. Cependant, prenez la bonne habitude de vérifier en vous si vous vous sentez bien avec quelque chose de nouveau avant d'y croire.

Depuis mon enfance, je crois que "amour égal souffrance". Cette décision peut-elle se changer maintenant que j'ai pris conscience du pourquoi

d'une telle décision? Est-ce une bonne idée de décider que "amour n'égal pas souffrance" pour ensuite me trouver un conjoint afin de poursuivre ma route avec lui?

Vous avez déjà fait un bon bout de chemin puisque vous êtes consciente que la croyance que vous aviez acceptée plus jeune n'est plus bonne pour vous. Elle ne vous est plus utile. Je vois aussi que vous êtes prête à passer à l'action. C'est une excellente idée. Cependant, je vous suggère de vous convaincre et de sentir que "amour égal bonheur" plutôt que "amour n'égal pas souffrance". J'ai déjà expliqué dans une autre réponse (voir page 22) pourquoi nous devons utiliser la forme affirmative plutôt que négative dans la formulation d'une demande. Vous pouvez définitivement changer cette croyance car elle est votre création. D'ailleurs, si je me base sur votre question, le changement est déjà en cours.

Comment puis-je être plus conscient de mes croyances?

À travers ses enseignements, Écoute Ton Corps offre plusieurs moyens.

1) **Observez les résultats que vous obtenez dans votre vie**. N'oubliez pas que vous manifestez toujours ce à quoi vous croyez et non ce que vous voulez dans le plan matériel. Je vous suggère de faire une liste de ce que vous voulez et que vous n'avez pas. Ensuite, faites une autre liste de ce que vous réussissez à obtenir, mais avec beaucoup d'efforts. Cela vous permettra de voir plus clair dans vos croyances.

2) **Observez les signaux de votre corps.** Chaque malaise dans le corps physique est l'expression d'un malaise intérieur. Ce dernier vient d'une croyance non bénéfique, c'est-à-dire d'une croyance basée sur la peur plutôt que sur la foi.

3) **Observez votre alimentation.** Mangez-vous toujours ce dont votre corps a besoin et au moment où il en a besoin? Si non, cela indique que vous nourrissez votre corps mental de fausses croyances. Votre façon de nourrir votre corps physique est un reflet de votre façon de nourrir vos corps émotionnel et mental.

4) **Observez vos critiques face à vous-même et face aux autres.** Quand vous critiquez, vous exprimez ce à quoi vous croyez. Si vos croyances vous font critiquer, elles ne vous aident pas à vivre dans l'amour. Vous auriez intérêt à les réviser.

5) **Écoutez les mots que vous utilisez** et qui expriment un jugement quelconque tels que "correct ou pas correct", "bien ou mal", "juste ou pas juste", "trop ou pas assez", etc. L'expression "il faut" est aussi excellente pour aider à découvrir des croyances inconscientes.

J'ai toujours peur d'être gravement malade un jour. Pourtant je sais qu'en pensant ainsi, cela peut m'arriver. C'est comme une obsession. As-tu un truc pour m'aider?

Premièrement, vouloir un truc dénote que vous voulez vous défaire de quelque chose rapidement. Vouloir aller vite indique que vous voulez contrôler.

Plus vous voulez contrôler, moins vite vous irez. C'est paradoxal, mais c'est comme cela. Plus vite vous lâcherez prise et plus vite vous arriverez aux résultats recherchés.

Deuxièmement, de quoi avez-vous vraiment peur? Auriez-vous plutôt peur de mourir? De souffrir? Ou de ne plus pouvoir subvenir à vos besoins? Après avoir identifié votre peur, faites-lui face. Parlez-lui. Si vous avez lu les réponses précédentes, vous avez sûrement trouvé des moyens qui s'appliquent à votre cas. Si c'est devenu une obsession, il est urgent de vous prendre en main car vous seul pouvez transformer ce qui se passe en vous. Si vous sentez cette tâche trop lourde pour vous seul, je vous suggère de chercher une aide extérieure.

Y a-t-il un rapport entre les peurs et l'amour de soi?

Définitivement. S'aimer veut dire s'accepter tel que nous sommes; se donner le droit d'être ce que nous sommes en ce moment, en sachant que tout est temporaire, que tout évolue. Une personne qui a peur se critique, se contrôle, ne croit pas en elle. Elle en oublie son essence, qui elle est véritablement, c'est-à-dire un être spirituel qui habite temporairement dans un corps matériel; un être merveilleux qui fait au meilleur de sa connaissance et de sa conscience. Elle s'identifie plutôt aux personnalités qu'elle a créées mentalement mais qui sont, en fait, des illusions.

J'ai réussi à dépasser plusieurs de mes peurs depuis quelques années mais j'ai l'impression d'être dans un temps d'arrêt depuis un certain

temps. Pourquoi?

Il n'est pas nécessaire de tout comprendre dans la vie. Présentement, vous ne voulez que satisfaire votre intellect. Laissez-le donc se reposer de temps à autre et laissez plutôt votre coeur prendre le dessus. Celui-ci veut seulement que vous vous acceptiez tel que vous êtes. Qui dit que vous devez toujours travailler sur vos peurs? Se peut-il que vous croyiez qu'une personne qui arrête est une personne paresseuse ou pas correcte? Si c'est une de vos croyances, cela doit se refléter dans votre monde physique; vous ne devez pas arrêter très souvent.

Donnez-vous donc le droit d'arrêter sans vous juger. Votre évolution sera ainsi plus facile et plus rapide que si vous vous forcez à travailler sur vos peurs. Cela ne veut pas dire de ne plus rien faire. Au contraire, continuez à toujours vouloir vous améliorer, mais sans jamais rien forcer.

J'ai un enfant de six ans qui mouille encore son lit la nuit. Est-ce parce qu'il a peur? Quelle est la cause?

L'élément eau étant relié au corps émotionnel, mouiller son lit la nuit indique une perte de contrôle à ce niveau. Chez un enfant, cela indique en général une crainte du père, de son autorité. Cela ne veut pas dire que son père veut lui faire peur. C'est l'enfant qui, voulant tellement répondre aux attentes de son père, se retient et se contrôle pendant le jour. Il craint d'être réprimandé par son père. Il s'agit là d'un enfant très sensible qui a besoin d'être rassuré même s'il n'est pas toujours parfait ou raisonnable.

Dernièrement, mon mental a été très agité à

cause de beaucoup de peurs et d'insécurité. J'ai finalement pris une décision et, par la suite, j'ai eu plusieurs malaises aux intestins. Pourquoi ai-je eu tous ces malaises? Je croyais justement les éviter en prenant cette décision.

Ce phénomène se produit souvent dans une situation où il y a de la peur ou du contrôle. Ces attitudes nous fait nous contracter et quand il y a enfin un lâcher prise, tout débloque à l'intérieur. Avant de prendre votre décision, vous ne ressentiez pas de malaise parce que vous vous étiez coupé de votre senti par votre contrôle sur vos peurs.

Lorsqu'un malaise apparaît suite à un lâcher prise, il est recommandé de laisser le corps faire son travail puisqu'il est simplement en train de tout remettre en place. Je sais que ce n'est pas aussi facile à faire qu'à dire, car la maladie ou les malaises font peur. Au lieu de vouloir diriger votre corps, donnez-lui la possibilité de se remettre sur pied de lui-même. Faites-lui confiance. Toutefois, seule la personne concernée sait intérieurement si son malaise est une indication que le problème est résolu ou non.

Comment puis-je utiliser mes peurs quand je veux prendre une décision? Exemple: je veux démissionner de mon travail d'enseignante mais j'ai peur, je souffre d'insécurité financière.

Une décision basée sur une peur indique plus souvent qu'autrement que ce n'est pas une bonne décision. Elle ne répond pas à votre vrai besoin. Le fait de décider de continuer comme enseignante par peur de manquer d'argent, indique que cette décision ne répond pas à votre besoin. Cependant, il est important de vous donner le droit de prendre le temps nécessaire afin d'arriver à répondre à votre besoin. Il est déjà merveilleux que vous soyez consciente de ce que vous voulez. Dites-vous qu'il est tout à fait humain d'avoir des peurs. Si un humain n'avait plus aucune peur, il n'aurait plus à revenir sur la planète pour vivre des expériences humaines.

Je vous suggère de continuer votre métier en gardant votre préférence en tête, tout en sachant que cette situation est temporaire. Soyez consciente et acceptez que pour le moment, votre insécurité est trop grande pour que vous quittiez votre travail. Continuez à planifier ce que vous ferez après votre départ, tout en vous donnant le droit de ne pas le faire tout de suite.

Il est toutefois très important pour vous de continuer à trouver des avantages, du plaisir dans votre travail actuel. Un travail fait dans la joie aide davantage à exprimer votre créativité et vous apporte plus de lumière. Cette dernière sera une aide précieuse afin de trouver votre voie future, sans peur.

Dans ton premier livre, tu définis l'agoraphobie comme étant la peur d'avoir peur, alors que j'ai toujours vu la définition suivante à ce mot: "Avoir peur des foules ou craindre de se retrouver mêlé à un vaste public". Le mot "phobaphobie" ne serait-il pas plus approprié?

Vous avez raison, l'agoraphobie est décrite comme étant la peur des foules. Cependant, on parle communément de la "peur d'avoir peur" car l'agoraphobe se trouve sans cesse de nouvelles peurs. En plus des endroits publics, il finit par avoir peur d'avoir peur en auto, sur les autoroutes, les ponts, les tunnels, dans les avions, enfin partout. Il a une imagination très fertile. Une jeune agoraphobe de 25 ans m'a confié qu'en plus de ne plus vouloir sortir de chez elle sans son mari, elle en était arrivée à se sentir en sécurité uniquement dans sa cuisine quand elle était seule chez elle. Le jour, lorsque son mari était au travail, elle évitait même d'aller aux toilettes tellement elle avait peur que quelqu'un entre dans la maison. L'agoraphobe imagine une situation d'avance et se crée un scénario qui lui fait peur. Il évite une situation parce qu'il a peur d'avoir peur et de faire une crise d'anxiété. Le terme "phobaphobie" m'est inconnu mais il semble un bon mot pour décrire l'agoraphobie.

J'ai un bon travail, je suis aimée et j'aime tout le monde. Tout va bien pour moi présentement. Ce qui me fait peur, c'est que j'ai des pertes de mémoire (mots, nom des personnes, etc.). Je ne comprends pas pourquoi cela m'arrive. Je n'ai que 50 ans. Cela me rend très nerveuse.

Vous avez peur de quoi au juste? Que peut-il vous arriver de si terrible si vous oubliez le nom de quelqu'un? En trouvant la peur véritable, vous trouverez la croyance non bénéfique qui vous habite. En utilisant les moyens donnés jusqu'à maintenant dans les autres réponses, vous pourrez sûrement transformer cette croyance.

Se peut-il aussi que vous mangiez beaucoup de sucre? Si vous consommez plus de sucre que ce dont votre corps a besoin, cela affecte directement le cerveau, ce qui produit un effet sur votre mémoire.

Je vous suggère d'écrire pendant trois semaines tout ce que vous buvez et mangez afin de mieux vérifier votre consommation de sucre.

Toujours exprimer nos peurs n'est-il pas une façon de les activer?

Il y a une différence entre exprimer une peur et en parler sans cesse. Quelqu'un se complaisant dans ses peurs les active effectivement. Les exprimer veut dire en devenir conscient, leur donner le droit d'être là présentement, ne pas se critiquer pour avoir créé ces peurs, les accepter et être capable ainsi d'en parler sans se juger et sans avoir peur d'être jugé.

Depuis plusieurs années, je n'arrive pas à prendre une décision. Une journée je veux, le lendemain, pas du tout. Je remets tout en doute. Je me dis parfois que ça doit être la crise de la quarantaine. Quand j'ai une idée, je ne l'aime pas assez pour y mettre de l'énergie. Je me dis toujours: *"Un jour j'aurai une bonne idée et je vais sauter dessus"*. Mais le doute est toujours là. Je crois que j'ai trop peur de me tromper et je ne fais rien. Que me conseillez-vous?

D'après votre question, je constate que vous êtes conscient de votre peur. C'est déjà une partie du problème qui est résolue. Maintenant, il est impératif pour vous de passer à l'action. Je vous suggère de prendre n'importe quelle idée et de faire au moins une action à tous les jours afin de réaliser cette idée. Vous ne pouvez pas vous tromper, vous ne pouvez que vivre des expériences. Si, après quelque temps, cela ne répond pas à un besoin, suivez une autre idée.

En général, les personnes qui ont peur de se tromper voudraient avoir tous les détails de leur plan d'action avant d'entreprendre quoi que ce soit. Elles veulent s'assurer qu'elles obtiendront le résultat désiré. Cela s'appelle vouloir contrôler l'extérieur et cette attitude dénote une peur. La personne qui a la foi ne planifie pas tout d'avance. Elle planifie le début de son projet et fait des actions, en ayant en tête où elle veut se rendre. Elle accepte d'être guidée par son **DIEU** intérieur en cours de route. Elle accepte aussi qu'elle ne peut contrôler toutes les personnes et situations autour d'elle. C'est ce qu'on appelle "lâcher prise", c'est-à-dire ne pas baser son bonheur sur le résultat, mais bien sur les expériences vécues en cours de route.

Allez-y, foncez, commencez par des petites actions si vous voulez, mais passez à l'action!

Comment faire pour identifier une peur particulière?

En s'observant davantage et en utilisant la question suivante: *"Quel est le pire qui pourrait m'arriver si...?"*

Par exemple, s'accuser ou accuser quelqu'un d'autre cache toujours une peur. Prenons une personne qui accuse régulièrement son conjoint de trop dépenser. Pour identifier sa peur, elle doit se demander: *"Quel est le pire qui pourrait m'arriver s'il continuait à dépenser?"*

Un autre exemple: une personne n'arrive pas à passer à l'action pour faire quelque chose qu'elle désire. Elle s'accuse d'être lâche, lente ou incapable, etc. Elle aussi doit se demander: *"Quel est le*

pire qui pourrait m'arriver si je passais à l'action?*"*
Réponse possible: *"Je pourrais me tromper."* Elle
doit poursuivre en se demandant: *"Et si je me
trompais, quel est le pire qui pourrait m'arriver?"*
Réponse possible: *"Je pourrais faire rire de moi."*
Elle doit continuer ainsi jusqu'à ce qu'elle sente
avoir touché à la peur profonde derrière son comportement. Avec ces questions, elle arrivera
facilement à trouver que sa vraie peur est celle de
ne pas être aimée. Voilà pourquoi il est possible
d'affirmer que la peur fait obstacle à l'amour.

Une fois la peur trouvée, vous découvrez par le
fait même votre croyance. Vous devez ensuite vérifier si cette croyance est bien fondée. Êtes-vous bien
sûr que cela se passera ainsi? Vous constaterez que
votre peur est irréelle car elle est basée sur une
croyance non bénéfique pour vous. Il vous sera alors
beaucoup plus facile d'adopter une nouvelle
croyance qui vous mènera au résultat désiré.

**Comment surmonter la peur des hommes,
c'est-à-dire la peur de rencontrer un homme, de lui
parler, lui toucher, accepter d'être près de lui, etc.?**

Tout comme dans mes réponses précédentes, je
vous répondrai que c'est en passant à l'action que
vous y arriverez. Commencez par de petites actions.
Dans cette question, je ressens une petite fille qui a
dû décider très jeune que les hommes faisaient peur.
Votre père vous faisait-il peur? Vous fait-il peur
encore aujourd'hui? Si oui, il serait très important,
comme première étape, d'aller le voir pour lui
exprimer vos peurs de petite fille.

Aussi, si vous voulez mieux cerner vos peurs,
détendez-vous et imaginez-vous lorsque vous étiez

une petite fille. Revivez ainsi différentes situations vécues avec votre père. Ensuite, prenez cette petite fille dans vos bras et consolez-la. Dites-lui que vous êtes là et que vous allez l'aider à surmonter ses peurs. Donnez-vous le temps nécessaire. Si votre désir d'arriver à être à l'aise avec un homme est sincère, il se concrétisera en temps voulu.

J'ai peur de l'eau. Lorsque l'eau m'arrive plus haut qu'aux épaules quand je me baigne, je manque de souffle. Il y a huit ans, j'ai essayé d'apprendre à nager car je voulais vaincre cette peur. J'ai alors fait une bursite et j'ai dû arrêter les cours. Même l'eau de la douche, lorsqu'elle m'arrive au visage, me coupe le souffle. Quelle est la signification de cette peur?

Pour que votre peur soit aussi forte, vous avez sûrement manqué de souffle lorsque vous aviez la tête immergée dans l'eau, dans le passé. Comme vous ne m'avez mentionné aucun incident de ce genre pendant votre jeunesse, c'est donc arrivé quand vous étiez bébé ou lors d'une vie précédente. Avez-vous vérifié avec vos parents si vous avez déjà été échappé dans l'eau, peut-être au moment du bain, quand vous étiez bébé?

J'ai aidé plusieurs personnes à régresser dans des vies antérieures et j'ai pu observer chez elles que leur grande peur de l'eau, du feu, de la torture, etc., était présente parce qu'elles étaient mortes de cette façon dans une autre vie. C'est peut-être votre cas.

Par contre, que votre peur soit originaire de cette vie-ci ou non, l'important pour vous est de savoir qu'elle vient de votre mental. En effet, vous continuez à croire que ce qui vous est arrivé une fois, peut encore vous arriver. Le mieux pour vous est de commencer par vous accepter avec cette peur, c'est-à-dire à vous donner le droit de l'avoir sans pour autant vous juger comme étant une personne pas correcte. Qui dit qu'il faille que vous ayez la tête dans l'eau? Qui dit que vous devez savoir nager?

Ensuite, peu à peu, quand vous vous sentirez prêt, aventurez-vous un peu plus loin dans l'eau si c'est vraiment votre désir. Ne le faites pas parce que quelqu'un d'autre vous dit que vous devriez le faire. Faites-le simplement pour vous faire plaisir.

Je sais que j'ai peur du succès et c'est une bataille constante à l'intérieur de moi. Au fond, je sais que je peux surmonter cette peur, mais à part de me féliciter pour chaque petite victoire, comment puis-je y arriver?

Le fait que vous soyez conscient de cette peur est déjà une belle victoire. Cette peur est une des plus inconscientes chez la plupart des gens. Comme c'est généralement le cas chez les gens qui ont cette peur, vous semblez avoir deux croyances contradictoires à l'intérieur de vous. Une partie de vous croit ne pas mériter le succès et que vous devez travailler énormément avant d'y avoir droit. L'autre partie, quant à elle, croit que vous pouvez effectivement l'atteindre.

Ceci vous amène à ne jamais vous sentir bien. Quand une partie gagne, l'autre n'est pas heureuse car toutes les deux sont sûres d'avoir raison. La journée où vous saurez au plus profond de vous que vous êtes le succès, au lieu de seulement y croire, il sera beaucoup plus facile de convaincre la partie de vous qui n'y croit pas et ainsi la gagner à votre cause. En attendant, continuez à faire des actions pour vous amener à ce que vous voulez.

J'ai peur de dire non quand on me demande quelque chose. Je me sens mal et je me culpabilise quand j'arrive à dire non. D'où vient cette peur?

Votre peur véritable n'est pas de dire non. Vérifiez plutôt quel est le pire qui pourrait vous arriver quand vous dites non. Si votre réponse est: *"J'ai peur que l'autre me trouve égoïste"*, allez plus loin encore. Quel est le pire qui peut arriver à une personne égoïste? Si votre réponse est: *"Elle perd tous ses amis"*, votre peur véritable serait donc de vous retrouver seul, sans amis. Vous venez de découvrir en plus la croyance qui engendre la peur. Une fois que vous avez identifié votre peur, il est plus facile d'y faire face.

La prochaine fois qu'on vous demande quelque chose et que vous voulez dire non, exprimez d'abord votre peur à l'autre. Vérifiez si votre peur est justifiée, si elle est réaliste, en lui disant: *"J'ai peur de te dire non car j'ai peur de te perdre comme ami. Est-ce mon imagination? Que vivrais-tu si je te disais non?"* En communiquant ainsi à chaque fois que vous voulez dire non, vous deviendrez vite conscient que votre croyance n'est pas bénéfique pour vous.

Est-ce que la peur est un manque de confiance en soi? J'ai eu peur de quitter mon copain et puis tout s'est bien passé. Je me demande pourquoi cela s'est bien passé quand on dit que nous faisons

arriver l'objet de nos peurs.

J'ai déjà expliqué qu'une peur indique que nous avons oublié notre **DIEU** intérieur. Cela affecte donc automatiquement la confiance en soi.

Ce que vous me demandez arrive fréquemment chez les gens. Ils disent: *"Je me suis fait des peurs pour rien. Il ne m'est rien arrivé de ce que je craignais."* Comment expliquer ce phénomène?

Comme on dit qu'il nous arrive toujours ce à quoi nous croyons, le fait que l'objet de votre peur ne soit pas arrivé lors de votre rupture avec votre copain indique que vous avez une autre croyance, mais qui est inconsciente. En effet, il y a sûrement une partie de vous, enfouie plus profondément que l'autre, qui veut et qui sait qu'une rupture peut bien aller. Vous n'en étiez tout simplement pas consciente. La vie est merveilleuse. Elle s'occupe sans cesse de nous et nous aide à découvrir tout ce qu'il y a en nous: les croyances non bénéfiques tout comme nos bons côtés. Il s'agit maintenant d'accepter cette partie de vous qui est confiante et qui peut vivre une situation difficile dans l'harmonie.

Est-ce la peur ou la croyance qui est un élémental?

La peur et la croyance étant intimement liées, les deux sont nécessaires pour créer un élémental. Un élémental est une forme-pensée créée par le mental de l'humain. Toute pensée prend une forme dans l'invisible, dans le monde astral et peut être vue par certains clairvoyants. Elle flotte autour de celui qui l'a créée et quand la peur devient obsessionnelle, la forme-pensée peut être vue comme étant attachée après le corps d'énergie de son créateur.

L'élémental grossit en proportion directe de la nourriture qu'il reçoit. S'il a été formé par une pensée qui est venue mais tout de suite repartie, il ne vivra pas, faute de nourriture. Par contre, plus on pense souvent à une chose, comme à une peur, plus on nourrit l'élémental et plus il grossit. Plus il grossit, plus il a besoin de nourriture pour continuer à vivre. C'est ainsi qu'une peur devient de plus en plus intense avec les années.

Le mot élémental comprend le mot "mental". Ceci est une bonne indication de la participation du plan mental de l'humain dans la création de chaque élémental et de sa survivance. Il comprend aussi le mot "élément" pour indiquer qu'il a la capacité d'attirer à lui tous les éléments nécessaires pour sa survie. Comme le mental est une création du monde matériel et que tout ce qui est matériel est temporaire et illusoire, on peut faire disparaître un élémental complètement.

L'élémental n'est qu'une création matérielle et il a déjà un certain pouvoir. Sachez que ce pouvoir est minime comparé à celui du **DIEU** intérieur de chaque être humain. Moins un humain entretiendra tous ces élémentaux non bénéfiques, plus vite il reprendra contact avec son essence spirituelle. Son grand magnétisme naturel lui attirera alors tout ce dont il a besoin pour être heureux.

Comment sait-on que nous avons vraiment créé un élémental non bénéfique et comment le faire diminuer?

J'ai répondu à cette question dans la réponse précédente. Je peux toutefois ajouter que pour faire diminuer un élémental, son créateur doit arrêter de le nourrir. Une bonne façon pour y arriver est de vous concentrer sur ce que vous voulez au lieu d'entretenir la peur de ne pas avoir ce que vous voulez. Vous créez donc un autre élémental mais, au moins, ce dernier vous aidera à atteindre votre but.

Comment puis-je effacer la peur de ne pas avoir assez d'argent?

Vous devez agir comme pour toutes les autres peurs. Malheureusement, en ce qui concerne l'argent, il semble y avoir encore plus de croyances non bénéfiques que dans la plupart des autres domaines. Voilà pourquoi j'écrirai sous peu un livret sur **l'argent et la prospérité**.

Pourquoi ai-je peur des médecins au point de m'en éloigner?

Il est évident que vous avez une opinion péjorative des médecins. Avez-vous vérifié avec vos parents ou éducateurs ce qu'ils pensent ou croient au sujet des médecins? La croyance que vous entretenez à leur sujet est-elle réaliste selon vous? Croyez-vous sincèrement que tous les médecins font peur? Si vous ne savez pas pourquoi vous avez peur d'eux, demandez-vous: *"Quel est le pire qui pourrait m'arriver si je consultais ou faisais confiance à un médecin?"* Vous connaîtrez ainsi la croyance qui engendre votre peur.

Est-ce que mon problème de gonflement peut avoir un lien avec des peurs?

Une personne qui se sent gonflée est une personne qui se retient et qui cherche à contrôler. Quand une personne se contrôle ou cherche à contrôler les autres, c'est qu'elle a peur de se faire contrôler. Que peut-il vous arriver si vous lâchez prise, si vous vous laissez aller à exprimer vos émotions? Vérifiez en vous: vous trouverez sûrement les peurs qui causent votre gonflement.

J'ai une peur terrible des chats. Je ne peux visiter un endroit où il y en a. Que puis-je faire?

La peur des animaux est très courante. Nous avons eu beaucoup de succès à Écoute Ton Corps en enseignant comment utiliser la symbolique de l'animal dont on a peur, pour apprendre à découvrir un aspect de soi non accepté.

Posez-vous la question suivante: *"Que représente pour moi un chat?"* Notez la première réponse qui vous vient à l'esprit. Je dis bien la première réponse car elle n'est pas toujours facile à comprendre au premier abord. Cette réponse doit être un qualificatif. Par exemple: *"Un chat, pour moi, c'est sournois."* Définissez ensuite ce qu'est une personne sournoise pour vous. Votre peur des chats indique donc votre peur d'une telle attitude chez les autres. Comme cette attitude suscite des peurs en vous, elle doit sûrement réveiller une vieille blessure.

En travaillant avec la peur des animaux, j'ai de plus constaté que la personne qui en est affectée a peur, elle aussi, de retrouver cet aspect en elle-même. Est-il possible que vous soyez ainsi? Si vous n'êtes pas certain, vérifiez auprès de ceux qui vous connaissent. Il se peut aussi que cette attitude soit pour vous tellement inacceptable que vous ne vous la permettez jamais, vous la refoulez profondément en vous. Donnez-vous le droit d'être ainsi pour le moment.

Une fois devenu plus conscient d'un aspect de vous-même grâce à votre peur des chats, vous pouvez commencer doucement à les approcher de la façon suivante: approchez l'animal en lui disant votre nom et en lui demandant le sien; révélez-lui votre peur tout en lui disant que vous travaillez maintenant sur cet aspect. Comme vous voyez, il est important de faire aussi des actions dans le plan physique. C'est le secret pour surmonter une peur ou transformer une croyance.

Quel comportement dois-je adopter avec une personne qui a peur de rester seule, qui a peur de tout? Je parle de ma mère âgée de 85 ans qui demeure avec mon fils et moi. Elle nous critique continuellement.

Avant tout, il est important de réaliser que vous ne pouvez enlever les peurs qui appartiennent à votre mère. Toutefois, personne n'est tenu de tolérer une vie difficile causée par les peurs de quelqu'un d'autre. Quel est votre engagement avec votre mère? Vous êtes-vous engagée à la garder avec vous jusqu'à sa mort? Si oui et si vous voulez garder votre promesse, vous devez augmenter votre seuil de tolérance et avoir plus de compassion pour elle, c'est-à-dire sentir davantage sa souffrance. Autrement, vous vous créeriez une vie très difficile.

N'essayez surtout pas de lui faire la morale ou de vouloir la changer. Cette approche est la moins efficace. Personne n'est jamais arrivé à surmonter ses peurs ou à aider quelqu'un d'autre à surmonter les siennes en disant: *"Arrête donc d'avoir peur."* Quand elle vous critique parce qu'elle a peur pour vous, acceptez ses peurs et dites-lui: *"Je vois que tu as peur pour moi et je te remercie d'être aussi concernée."* Ensuite, continuez tout de même à faire ce que vous voulez. Si elle a peur d'être seule, engagez une gardienne comme vous le feriez pour un enfant.

Si vous ne vous êtes pas engagée à vous occuper d'elle, faites-lui part de vos difficultés et demandez-lui quelle autre solution serait acceptable pour elle. Il est important pour vous de délimiter votre espace et de lui dire jusqu'où vous pouvez aller. Si c'est trop ou pas assez pour elle, vous pourriez peut-être lui trouver un autre endroit. L'idéal est de négocier ensemble et d'en venir à une entente mutuelle.

Je suis obsédée par mon poids depuis ma première grossesse. Plus j'ai peur d'engraisser et plus je prends du poids. Que faire?

Commencez par découvrir votre peur véritable. Demandez-vous: *"Quel est le pire qui peut m'arriver si je suis grosse?"* Ensuite, allez vérifier si ce à quoi vous croyez est vrai. Si non, remplacez cette croyance par celle voulue. Comme le **poids** est un sujet très populaire, il fera aussi l'objet d'un prochain livret.

J'ai toujours choisi les gens que je veux fréquenter. D'après ton expérience, crois-tu que faire cela cache une peur? Certaines personnes semblent y croire. Ne crois-tu pas qu'on a le droit de choisir pour ne pas subir certaines personnes

ou certaines situations?

Tous et chacun de nous avons le droit de choisir qui ou quoi que ce soit sur cette terre. Dans votre cas, l'important est de savoir si votre choix vous apporte du bonheur et du plaisir. Si oui, faites-vous confiance. Si d'autres personnes ne sont pas d'accord avec vous, elles vous disent tout simplement ce à quoi elles croient. Quelqu'un d'autre a le droit de croire le contraire de ce à quoi vous croyez et se sentir très bien ainsi.

Il se peut aussi que votre choix cache parfois une certaine peur. Si c'est le cas et que vous en êtes conscient, acceptez cette peur, donnez-vous le droit de l'avoir pour le moment et vous serez en paix avec vous-même.

Une peur peut-elle avoir une utilité?

Définitivement! C'est surtout au moment où elle a été créée qu'elle nous a été utile. Le problème apparaît lorsqu'on la garde même si elle ne nous est plus utile. Une personne intelligente ne garde rien d'inutile. Tout ce qu'elle a dans son monde matériel doit être utile. Si nous ne pouvons trouver une utilité à quelque chose, nous devons nous en défaire. Une peur nous aide aussi à découvrir une croyance inconsciente qui n'est plus bénéfique pour nous.

D'autre part, une peur peut nous être utile pour découvrir un désir inconscient. Par exemple, derrière la peur d'avoir un blanc de mémoire en parlant en public, se cache le désir d'avoir confiance en soi et de pouvoir parler en public avec assurance. Derrière toute peur se cache un désir non satisfait. Le fait d'être conscient du désir vous aide à savoir sur quoi concentrer vos pensées et actions à la place de mettre l'accent sur la peur qui bloque la manifestation de ce désir.

Une peur peut aussi aider à prendre une décision. Lorsque vous avez deux possibilités ou plus et que vous hésitez à vous décider, regardez si un des choix est basé sur une peur quelconque. Vous saurez alors que ce n'est pas le bon choix. Voici un exemple: supposons que vous êtes invité à une soirée. Vous hésitez entre vous reposer chez vous ou aller à cette soirée. Ne pas y aller parce que vous avez peur de vous y rendre seul, pour quelque raison que ce soit, serait basé sur une peur: cela serait donc la mauvaise décision.

Si, d'autre part, vous y allez juste parce que vous avez peur de déplaire à ceux qui vous ont invité en n'y allant pas, ou parce que vous avez peur d'un jugement quelconque, y aller serait alors la mauvaise décision.

Le fait de voir l'utilité d'une peur aide beaucoup à l'accepter, à lui dire merci, à se donner le droit de l'avoir. Comme c'est l'étape la plus importante pour s'en libérer, il est sage de l'envisager ainsi.

Faut-il toujours faire une action pour vaincre une peur?

Oui. Il est important de faire des actions quand on veut matérialiser quoi que ce soit dans le monde matériel. Cependant, ces actions doivent se faire en temps et lieu. N'essayez pas d'aller trop vite. Planifiez ce que vous voulez faire et faites-le aussitôt que vous vous en sentez capable. C'est sûr que vous aurez certains efforts à fournir, mais respectez-vous avec vos limites. C'est comme l'homme qui décide de lever des poids et haltères pour être plus en forme. S'il ne respecte pas ses limites et qu'il commence avec des poids trop lourds, au lieu d'améliorer sa forme physique, cet excès pourrait être nuisible à sa santé. S'il y va graduellement, il arrivera un jour à lever des poids très lourds. Il atteindra son but en fournissant certains efforts, mais tout en respectant ses limites du moment.

Je réalise maintenant que j'ai choisi les hommes avec qui j'ai vécu, par égoïsme. Je suis présentement avec quelqu'un pour la même raison. Je suis consciente que j'ai peur de l'insécurité et de la solitude. Pour faire face à ces peurs et les vaincre, dois-je vivre une séparation dans l'amour?

Ce n'est pas parce que vous êtes devenue consciente de vos peurs que vous êtes maintenant prête à y faire face. Comment vous sentez-vous à l'idée de vivre seule? Est-ce au-delà de vos limites? Vous seule le savez. Je vous suggère d'être vraie avec votre présent conjoint et de lui partager vos peurs. Qui sait? Il a peut-être les mêmes peurs que vous et ensemble, vous pourriez vous aider.

Pourquoi ai-je peur de quelqu'un qui est en état d'ébriété?

Vous devez commencer par trouver la peur véritable. Qu'est-ce qu'une personne ivre peut vous faire qui pourrait vous nuire? Quand vous aurez trouvé votre peur, vérifiez si vous avez déjà vécu quelque chose de semblable quand vous étiez plus jeune. Si non, parlez à vos parents pour vérifier si cette peur leur appartient et pour voir si vous ne l'auriez pas acceptée d'eux. Réalisez ensuite que cette peur est irréelle, qu'elle vient de votre imagination.

Comment faire la différence entre une peur réelle et une peur irréelle? Chaque fois que j'ai peur, cela me semble très réel. J'en ai même des symptômes physiques comme mal au ventre, des chaleurs, etc.

Une peur réelle est provoquée par un danger immédiat. Exemples: un gros chien qui vous saute dessus, passer très près d'avoir un accident d'auto, tomber dans un escalier, etc. Dans de tels moments, il est naturel et même bénéfique d'avoir peur car cette peur déclenche le processus dans votre corps vous permettant de pouvoir faire face à de telles situations. À ce moment, vos glandes surrénales produisent un surplus d'adrénaline pour vous apporter l'énergie supplémentaire nécessaire. Votre respiration s'accélère, votre coeur bat plus vite, et votre cerveau a aussi une plus grande présence d'esprit pour faire face au danger.

Une peur irréelle, quant à elle, est provoquée par la mémoire d'un événement passé ou par le souvenir d'une situation donnée qui active votre imagination dans le moment présent. Il peut y avoir eu un danger réel lors d'une certaine situation passée, mais aucune loi ne dit que le même danger surviendra à chaque fois que cette situation se présentera. Reprenons l'exemple du chien qui a sauté sur vous quand vous étiez jeune. Il était naturel d'avoir peur à ce moment-là, mais il n'est plus naturel d'avoir encore peur à la simple vue ou pensée d'un chien.

Les peurs irréelles sont nuisibles car leur pouvoir est tellement fort qu'il provoque tous les mêmes symptômes physiques mentionnés plus haut. Le corps, ne faisant pas la différence entre une peur réelle ou irréelle, reçoit de vous, de votre mental, un message de peur et déclenche donc automatiquement le processus de survie. Faute de trouver un moyen d'expression car il n'y a pas de danger physique réel, le corps reste coincé avec ces énergies de peur. Pouvez-vous imaginer combien vous usez votre corps avec tous les efforts qu'il doit fournir pour rien?

Au moment où vous vivez une peur irréelle et que vous en souffrez physiquement, je vous suggère de demander pardon à votre corps. Dites-lui que vous avez une imagination fertile et qu'en ce moment, vous ne pouvez pas toujours la maîtriser. Demandez-lui de bien vouloir être tolérant, qu'éventuellement vos peurs diminueront et qu'il pourra alors se reposer. Donnez-vous le temps d'y arriver. Pardonnez-vous aussi de ne pas pouvoir toujours maîtriser vos peurs.

Vous suggérez souvent aux personnes qui vivent beaucoup de peurs de manger moins de sucre. Quel lien y a-t-il entre le sucre et les peurs?

Tel que mentionné dans la réponse précédente, aussitôt que nous vivons une peur, nos glandes surrénales doivent travailler plus fort pour produire de l'adrénaline, l'hormone qui a pour fonction d'aller chercher nos réserves de glucose dans le corps. Ce glucose apporte l'énergie nécessaire au cerveau et au reste du corps pour faire face à un danger. Une personne qui a beaucoup de peurs finit donc par épuiser ses réserves de glucose. Elle compense alors en mangeant du sucre. Elle sent une hausse d'énergie pendant environ une demi-heure, mais en réalité, ce sucre lui cause plus de dommage que de bien. Il fait travailler les glandes surrénales davantage car tout sucre ou produit raffiné, n'étant pas naturel, leur donne ainsi qu'au pancréas, un surplus de travail.

C'est donc un cercle vicieux. Plus les glandes surrénales sont fatiguées, usées, moins elles peuvent produire d'adrénaline en quantité suffisante pour faire face à un danger réel. Au moment d'une peur, la personne panique donc davantage car elle n'a pas l'énergie nécessaire pour y faire face. En modérant le sucre, cette personne donne un répit à son corps.

J'ai peur de méditer et de me transformer. J'ai lu qu'il est possible, en méditant, de revivre des souffrances ou des malaises du passé. Si c'est vrai, comment bien vivre et accepter cela?

C'est vrai qu'il est possible de se défaire d'anciens stress en méditant. En général, les gens en sont bien heureux car ils se libèrent. Je médite personnellement depuis plusieurs années et je connais plusieurs personnes qui méditent depuis longtemps. Je dois vous avouer qu'il ne nous est jamais rien arrivé pour nous faire peur.

Le pire qui peut vous arriver, c'est de vivre de l'inconfort. Faites confiance à votre corps. Il sait exactement jusqu'où vous pouvez aller. Si vous ne le forcez pas, votre corps évolue et se transforme au rythme qui est le meilleur pour vous. Je vous suggère de commencer par quinze minutes de méditation par jour (le matin de préférence) et d'augmenter graduellement jusqu'à une demi-heure par jour. Ce n'est qu'en vivant l'expérience que vous reconnaîtrez que votre peur est irréelle.

Comment puis-je arrêter d'avoir peur de me faire attaquer le soir? Je travaille le soir et je reviens chez moi la nuit. J'entends tellement parler de viols partout. Il y en a même le jour maintenant.

Il est évident que vous croyez beaucoup au viol. Vous êtes-vous informée du pourcentage de femmes qui se font violer le soir ou le jour? Supposons qu'il est de 5%, pourquoi ne feriez-vous pas partie des 95% qui ne se feront jamais violer?

Un point important à se souvenir est l'influence de votre attitude. Si vous marchez dans la rue, remplie de peurs, un violeur le sentira de très loin. Si par contre vous marchez avec assurance, la tête haute, lentement et sûre de vous, vous mettez toutes les chances de votre côté pour décourager un violeur. Selon des études psychologiques, les voleurs et violeurs de rues ont avoué savoir d'avance qui attaquer seulement en observant l'attitude des gens.

Au début, cela vous prendra beaucoup de courage pour paraître confiante, sans peur, mais avec de la pratique, cela deviendra plus facile.

Pour vous aider à vous défaire de cette croyance plus rapidement, je vous suggère de ne pas écouter les nouvelles, d'arrêter de lire les journaux ou de regarder des films de viol. Cela ne fait qu'alimenter votre croyance et votre peur.

À la page 56 de ce livret, l'explication d'un élémental et de comment le faire diminuer vous aidera aussi.

J'ai été élevé dans une famille dont le père était négatif, avait des peurs et voyait la vie en noir. Est-ce que cela peut m'influencer à être négatif et à avoir peur de l'avenir?

Définitivement que cela peut vous influencer. Très souvent, les enfants achètent ou acceptent les mêmes peurs que leurs parents. C'est d'ailleurs la raison pour laquelle vous avez choisi ce père. Vous avez, dans cette vie, à apprendre à surmonter vos peurs. Vous avez donc choisi un père qui avait les mêmes peurs que vous aviez avant de naître. Vous appartenant déjà, votre raison d'être est donc de les surmonter.

On dit que chaque enfant doit dépasser ses parents, c'est-à-dire aller plus loin dans la lumière; c'est ainsi que l'humanité évolue. Chaque génération doit faire sa part. N'en voulez pas à votre père. Il a possiblement eu, lui aussi, un père qui avait les mêmes peurs. Peut-être que votre père n'avance pas selon son plan de vie, c'est-à-dire qu'il ne dépasse pas ses peurs, mais cela ne veut pas dire que vous devez faire la même chose. En dépassant vos propres peurs, il y a même de fortes chances que vous l'aidiez à faire la même chose, sans rien lui dire, seulement par votre exemple et par le changement dans votre énergie et votre comportement.

Pourquoi ai-je toujours peur de perdre ma conjointe, sans raison?

Connaissez-vous la vraie peur derrière cette peur de perdre votre conjointe? Avez-vous peur d'être seul? Souffrez-vous d'insécurité financière? Avez-vous peur de vous sentir abandonné? Il est important que vous sachiez de quoi vous avez peur au juste. Se peut-il que vous vous soyez senti abandonné par votre mère étant jeune et que présentement vous fassiez du transfert sur votre conjointe, ayant peur qu'elle vous abandonne à son tour? Vous seul le savez.

Ensuite, je vous suggère d'en parler le plus vite possible à votre conjointe. Faites-lui part de vos craintes. Dites-lui que vous savez qu'elles sont irréelles, qu'elles sont le fruit de votre imagination, mais que pour le moment, elles sont encore là. Donnez-vous le droit d'avoir ces peurs pour le moment. En vous donnant la permission de vivre ce qui est là, votre conjointe le fera aussi et ensemble, vous trouverez un moyen de dépasser cette peur.

J'ai très peur d'être jugée ou critiquée à mon travail. J'ai peur de ne pas être à la hauteur. Cela me paralyse tellement que parfois je démissionne. Je fuis les autres. Que faut-il changer? C'est très urgent pour moi.

D'après votre question, vous êtes sûrement une grande perfectionniste. Il est très bien de rechercher la perfection, mais elle est impossible à atteindre dans le domaine du "faire". Vous vous valorisez beaucoup trop selon les résultats obtenus à votre travail. Aussitôt que vous faites une erreur ou un oubli, vous devez être le type de personne qui oublie tout ce qu'elle a fait de bien et qui commence tout de suite à se critiquer! Voilà d'où vient votre peur d'être critiquée ou jugée: vous le faites sans cesse avec vous-même. Vous devez sans doute vous exiger d'être extraordinaire avant de vous féliciter!

Je vous suggère fortement de commencer à reconnaître la personne merveilleuse que vous êtes. Ce que vous faites et ce que vous êtes sont deux choses totalement différentes. Il est temps pour vous d'arrêter de croire que vous êtes ce que vous faites. Un bon moyen pour vous aider à vous reconnaître est de vous faire au moins dix compliments par jour. Je vous suggère, en plus, de prendre le temps de les écrire et de les lire à haute voix. C'est encore plus efficace ainsi.

Lorsque nous savons que nous avons une certaine peur, comme par exemple la peur des hauteurs, et que nous nous forçons pour poser un geste quand même, est-ce du contrôle ou de l'acceptation?

Ce serait du contrôle si vous vous faisiez accroire que vous n'avez pas peur en faisant le geste.

Quand vous reconnaissez que la peur est encore là et que vous osez la dépasser en fonçant quand même, cela s'appelle du courage. Aussitôt que le courage dépasse la peur, c'est le début de la fin de cette peur, en autant qu'il y ait eu acceptation de cette peur pour commencer. Accepter une peur veut dire ne pas se juger ou s'en vouloir d'avoir cette peur, mais plutôt se donner le droit de l'avoir pour le moment.

Lorsque je rentre chez moi le soir et que je vois mon lit, l'idée de me coucher me fait peur car j'ai peur de mourir. D'où vient cette peur?

La peur de mourir est une des plus grandes peurs dans le monde occidental. Comme cette peur se manifeste de plusieurs façons, je la traiterai tout particulièrement dans un prochain livret sur **la vie, la mort et la réincarnation**.

Vous dites que la peur, c'est l'imagination qui s'affole. Mais qu'y a-t-il là-dessous? Quelle force l'alimente? J'ai beau affronter mes peurs, elles reviennent toujours sous une autre forme. Comment cela peut-il arrêter?

Ce qui soutient le pouvoir de l'imagination et des peurs est la force du mental. Nous lui avons donné trop de pouvoir et ce dernier veut maintenant diriger notre vie. Le mental est principalement composé de nos mémoires passées. Nous alimentons ces mémoires en les laissant décider et elles deviennent ainsi des croyances ancrées en nous. L'ensemble de ces croyances ou personnalités forment notre ego. Ce dernier est devenu notre dieu. L'égo est aussi appelé le "petit moi". Nous laissons ce petit moi décider à la place de notre "grand moi", notre "moi supérieur" qui est l'expression de **DIEU**.

Les peurs inutiles arrêteront sur la planète lorsque nous nous souviendrons de qui nous sommes, quand nous saurons que nous sommes **DIEU** et non notre égo. Ce dernier, étant une illusion, est appelé à disparaître au fur et à mesure que l'humain évoluera et que son mental se transformera en supra-mental.

J'ai fait une demande d'emploi pour enseigner en Ontario. Dix jours plus tard, j'étais convoquée et on m'a tout de suite offert un contrat. À l'hôtel,

le même soir, ce fut la panique totale. Je n'ai pas pu accepter. Depuis, on m'a contactée à deux reprises et je continue à hésiter à cause de toutes sortes de peurs. Pourtant, je suis convaincue que ce serait une réussite professionnelle, mais j'ai peur de ne pas me trouver un appartement convenable, de ne pas me faire d'amis, etc. Que faire pour arrêter ces peurs?

Voilà un bon exemple de peurs irréelles, d'une bonne imagination qui a pris le mauvais chemin. Si seulement vous pouviez utiliser le grand pouvoir de votre imagination pour imaginer ce que vous voulez qui vous arrive, plutôt que ce que vous ne voulez pas. Je sais que c'est plus facile à dire qu'à faire, mais c'est vraiment une des choses que vous devez faire.

De plus, serait-il possible que votre peur véritable soit celle de réussir? J'ai déjà mentionné que cette peur est très forte chez les Québécois. Jeune, que pensiez-vous des gens qui avaient réussi? Se peut-il que vous ne vouliez pas être comme eux? Ou peut-être que vos parents ne croyaient pas à la réussite et que vous avez acheté cette croyance?

Quelles que soient les croyances qui se cachent derrière vos peurs, il est clair, par votre question, qu'au plus profond de vous, vous voulez accepter cet emploi. Alors allez-y, faites-vous confiance et passez à l'action. C'est le moyen le plus rapide et efficace pour vous défaire de croyances non bénéfiques et ainsi éviter d'autres peurs.

Est-ce que le fait de regarder la télévision peut nous programmer avec des croyances nuisibles?

Chez un enfant, la télévision peut en effet avoir une influence très forte dans la formation de nouvelles croyances. Plus tard, la télévision ne peut que renforcer ce à quoi nous croyons déjà.

Qu'est-ce qui fait que dans une même situation, notre sécurité se change en insécurité? Auparavant, j'étais positif et maintenant je ne le suis plus. Je me sens perdu. Que puis-je faire?

Si vous êtes maintenant une personne insécure, c'est que vous l'étiez déjà auparavant. La seule différence est que dans le passé vous arriviez à vous contrôler, à vous faire accroire que vous étiez sécure. Vous étiez capable de vous forcer à être positif et vous finissiez par y croire. Cette attitude est très courante.

Malheureusement, personne ne peut se contrôler indéfiniment. La partie en vous qui a été refoulée profondément a fini par refaire surface. De plus, comme elle existe depuis longtemps et qu'elle a été placée au rancard, quand elle ressort, elle le fait avec force. Vous devez donc vous donner le droit d'être ainsi pour le moment. Acceptez le fait que ces peurs ne sont pas nouvelles, c'est plutôt le fait d'en être conscient qui est nouveau. Agissez avec elles tel que mentionné dans plusieurs de mes autres réponses.

J'ai un commerce et j'ai été volé par mes employés. Ça m'a pris des années avant de m'en apercevoir. Depuis, je suis devenu très nerveux et inquiet à l'idée que cela pourrait encore m'arriver. Comment faire pour relaxer?

Êtes-vous bien sûr que parce que cette situation s'est produite une fois, elle doit se produire à nouveau? Si vous insistez pour croire à cela, je vous suggère de ne plus être un employeur car vous vous créez une vie d'enfer. Pourquoi ne pas utiliser votre imagination pour voir et créer ce que vous voulez? Si vous voulez vraiment arriver à surmonter cette peur, partagez ce que vous vivez à vos employés. De plus, tous les matins vous pourriez entourer chaque employé de lumière blanche, remplir votre commerce de lumière et demander à l'univers de vous soutenir dans votre démarche.

Faites aussi un examen de conscience pour trouver où et quand vous vous êtes permis de soutirer un quelconque bien à quelqu'un, sans avoir obtenu sa permission au préalable. Se peut-il que vous ayez caché certains revenus au gouvernement dans le but de payer moins d'impôts ou de taxes?

Comme la loi de cause à effet est parfaite et immuable, nous récoltons toujours ce que nous semons. Quelle cause avez-vous mise en mouvement pour récolter l'effet d'être volé par vos employés?

Est-il vrai que se faire hypnotiser peut nous aider à régler nos problèmes de peur?

Il y a plusieurs techniques ou moyens pouvant aider ceux qui ont peur. Cependant, ce ne sont pas tous les moyens qui sont bons pour tous. Vous devez user de discernement quand vous choisissez quelqu'un pour vous faire aider. Si un moyen en particulier vous attire, explorez-le. Vérifiez en vous comment vous vous sentez avec la personne et le moyen qu'elle utilise. Si vous avez des doutes, des hésitations, suivez votre intuition. Il existe tellement de bonnes personnes désirant sincèrement aider et il y a tellement d'approches différentes que chaque personne peut trouver ce qui lui convient. L'important est de vérifier et de décider par vous-même.

Ma plus grande peur est la solitude. J'ai énormément de difficulté à rester seule dans la maison, au point d'en devenir angoissée et d'en avoir des problèmes de respiration. Les pensées se bousculent et se répètent dans ma tête. Que faire en ces moments-là?

Êtes-vous bien sûre que c'est la peur de la solitude que vous vivez? D'après votre description, il serait plutôt question d'agoraphobie. Je vous suggère de le vérifier en lisant la description de cette phobie à la page 27 de ce livret. Il serait aussi sûrement bon que vous vous fassiez aider par quelqu'un de compétent dans ce domaine.

Pourquoi ai-je toujours peur de me faire avoir? Même à la conférence de ce soir, cette peur est présente.

Comme vous devez vous sentir seul! Avoir à vous surveiller sans cesse avec tous ceux qui vous entourent doit vous demander une quantité énorme d'énergie! Il est évident que vous avez oublié la confiance quelque part en cours de route. Hâtez-vous! Allez la retrouver! Elle est là qui attend que vous lui redonniez la place à laquelle elle a droit. Personne d'autre ne peut le faire pour vous. Pratiquez-vous avec ceux qui vous entourent, un peu à la fois. Ne vous oubliez surtout pas. À quand remonte la dernière fois où vous vous êtes fait confiance? En réapprenant à faire confiance plutôt que de vous méfier de tous et chacun, vous aurez l'impression de renaître.

Je suis une femme qui a vécu dernièrement une période très difficile. Il y a trois mois, j'ai eu des idées suicidaires qui étaient très obsessionnelles. Si j'avais vécu mon moment présent, je ne serais plus de ce monde. J'ai peur que cela me reprenne. Que faire dans ce cas?

Vous dites que si vous aviez vécu votre moment présent, vous vous seriez suicidée. Au contraire, c'est parce que vous n'étiez pas dans votre moment présent que vous vouliez vous suicider. Vivre son moment présent c'est aimer chaque instant en ne s'inquiétant pas du futur et en ne regrettant pas le passé.

Le meilleur moyen pour que l'idée de suicide ne vous revienne pas est justement de vivre votre moment présent à chaque heure du jour. Regardez ce qu'il y a de beau, de bon dans ce qui vous arrive, dans ce que vous faites, dans ce que vous êtes. La joie de vivre est le meilleur antidote du suicide. Dans un prochain livret, je parlerai plus en détails du **lâcher prise**.

Comment puis-je me débarrasser de ma peur des araignées?

Trouvez le côté symbolique des araignées comme je l'ai suggéré à la dame qui a peur des chats à la page 59 de ce livret.

Pour développer ma foi en l'avenir, je pense à arrêter de payer des primes d'assurance-maladie et accident pour m'offrir des cadeaux à la place. Est-ce une bonne idée?

Vous seul savez si vous êtes prêt à faire cette action. Si vous avez encore des peurs à l'idée d'être malade et de ne plus avoir d'assurance, il serait préférable de remettre cette décision à plus tard. Cependant, si vous vous sentez heureux à l'idée de pouvoir le faire, allez-y. Nous voulons tous arriver un jour à savoir au plus profond de nous que quoiqu'il arrive, il y a toujours une solution et un moyen pour s'en sortir. Nous voulons arriver à croire et savoir que l'univers nous supporte comme il supporte d'ailleurs tout ce qui vit sur cette planète.

Est-il possible qu'une peur intense ressentie lors d'un engagement était un avertissement puisque cet engagement s'est avéré être un vrai fiasco? Était-ce une "peur de sagesse" ou est-ce ma peur qui a créé la mauvaise expérience?

Je crois que ce que vous appelez une peur de sagesse est ce que j'appellerais une intuition. Lorsqu'il s'agit d'une intuition, on ne ressent pas la même chose dans notre corps que lorsqu'il s'agit d'une peur. Une intuition nous incite plutôt à la prudence. Prenons l'exemple d'une personne qui traverse une rue. Si elle a peur, elle regardera sans cesse de tous les côtés et elle pourra sentir la peur dans son ventre. Si elle est tout simplement prudente, elle regardera de chaque côté, traversera la rue beaucoup plus calmement tout en se sentant bien dans son corps.

Dans votre cas, je ne crois pas qu'il s'agissait d'une intuition car vous mentionnez une peur intense. Je dirais plutôt que votre peur intense a provoqué la mauvaise expérience. Comme je l'ai déjà mentionné, il nous arrive toujours ce à quoi l'on croit dans la vie. À votre place, je me hâterais de changer cette croyance si vous ne voulez pas revivre la même chose dans le futur.

J'ai un choix à faire à mon travail et j'ai peur de ne pas faire le bon. Si je choisis un des emplois offerts, est-ce parce que je dois vivre quelque chose dans ce travail-là?

Comment pouvez-vous savoir qu'un choix est mauvais? Sur quoi vous basez-vous pour arriver à cette conclusion? Sachez que vous ne faites jamais de mauvais choix. Il y a toujours des expériences à vivre et quelque chose à apprendre quel que soit le choix que vous faites. Ce n'est seulement qu'après avoir vécu des expériences dans ce nouvel emploi que vous serez en mesure de savoir si vous voulez continuer ou non. Et même si vous vous rendiez compte en cours de route que cet emploi ne répond pas à vos attentes et que vous le quittiez, cela ne voudrait pas dire que ce fut un mauvais choix. Il est très important d'être alerte à ce que vous apprenez de nouveau, tous les jours de votre vie. Ensuite, il ne vous reste qu'à apprécier ces nouvelles acquisitions.

Je suis jeune et j'ai des peurs. Vais-je grandir avec ces mêmes peurs?

Vous les garderez tant et aussi longtemps que vous ne déciderez pas qu'elles ne vous sont plus utiles. Comme vos peurs sont votre création et seulement une illusion, vous seul pouvez décider de ne plus y croire. Croire à une peur est aussi ridicule que de croire que vous êtes votre ombre. Vous pouvez constater que votre corps projette un ombrage, mais cet ombrage n'est pas vous. Il en va de même pour une peur.

Comment peux-tu expliquer le fait qu'une personne craigne toujours de manquer de quelque chose quand elle n'a jamais manqué de rien?

Elle a sûrement acheté cette peur ou croyance de ses parents ou éducateurs. Il est beaucoup plus facile de se défaire d'une croyance quand elle vient de quelqu'un d'autre comparativement à quand nous l'avons expérimentée personnellement.

Quand j'ai de la difficulté à passer à l'action, comment savoir si c'est par peur d'agir ou si c'est parce que je ne suis pas prêt? Comment faire la différence?

En allant vérifier en vous. L'idée de passer à l'action vous plaît-elle? Est-ce que cette idée vous excite? Si oui, c'est vraiment ce que vous voulez. Mais si, par la suite, une petite voix intérieure vous dit: *"Non pas tout de suite",* vérifiez si vous avez peur de quelque chose en vous demandant: *"Quel est le pire qui pourrait m'arriver?"* Vous découvrirez ainsi la peur s'il y en a une. Regardez ensuite ce que vous pourriez faire si ce pire se manifestait. Si vous avez une solution à ce pire, vous ne devriez plus hésiter.

Comment puis-je ne pas avoir peur face à une éventuelle opération puisque ce n'est pas moi qui ai décidé de passer à l'action?

Personne ne devrait décider pour vous d'une opération à moins que vous ne soyez dans un état où vous ne pouvez plus prendre cette décision. Je ne crois pas que ce soit votre cas puisque vous me posez cette question. Aucun médecin n'a le droit de vous obliger à vous faire opérer.

Par contre, je suis sûre que si votre médecin vous suggère une intervention chirurgicale, c'est qu'il croit sincèrement que c'est pour votre bien-être. Cependant, il a été prouvé que ceux qui se font opérer tout en ayant peur, courent beaucoup plus de risques de complications et que la période de convalescence s'avère aussi plus longue.

Si vous optez pour l'opération, faites confiance à votre médecin ainsi qu'à votre corps. Dites à celui-ci que vous agissez au meilleur de votre connaissance, que vous comptez sur lui pour vous aider à trouver le message de ce problème physique ainsi que pour une guérison rapide.

Je vous suggère donc fortement de bien vérifier en vous ce que vous voulez faire. Après tout, c'est votre corps et vous seul pouvez en disposer comme vous le voulez. Quoiqu'il arrive, assurez-vous que ce sera bien votre choix.

Une personne qui voit les auras et qui se perçoit dans un accident dans les deux prochaines semaines doit-elle s'abstenir de prendre sa voiture pendant ces deux semaines à cause de cette perception? Comment réagir à cela quand on a besoin de sa voiture pour aller travailler?

Je sais que certaines personnes ont des prémonitions. Cependant, si le fait de voir dans l'avenir vous crée des peurs, il serait mieux pour vous de demander de ne plus voir. Le vrai don de clairvoyance apporte l'harmonie et non la peur. Une personne qui voit et qui a peur ou qui fait peur aux autres n'est pas clairvoyante, mais plutôt médium.

Si vous avez un gros pressentiment, soyez plus prudente et plus alerte mais sans avoir peur, comme une personne avertie le ferait. D'après vous, une personne prudente s'arrête-t-elle d'agir? C'est à vous de répondre à cette question pour savoir si vous devriez utiliser votre voiture ou non.

Quelles peurs habitent quelqu'un qui se ronge les ongles?

En général, se ronger les ongles est plutôt un signe que quelque chose ronge la personne de l'intérieur. En métaphysique, on dit qu'il y aurait une rancune non réglée envers un parent qui viendrait de l'enfance. Il est possible que la peur de ne pas être à la hauteur, d'être pris en défaut ou une autre peur se soit développée envers l'un des parents. La personne qui se ronge les ongles en voudrait encore à ce parent pour son attitude envers elle.

Que faire avec la peur de la noirceur?

Premièrement, prenez conscience de ce que vous vivez quand vous êtes à la noirceur. Trouvez votre peur véritable. Très souvent, les personnes qui ont peur de la noirceur sont des personnes psychiques qui, très jeunes, voyaient des entités qui leur faisaient peur la nuit. Une fois que vous aurez découvert votre peur véritable, vous pourrez agir comme je l'ai suggéré dans quelques-unes de mes réponses précédentes. Un livret complet sur **le monde astral**, le monde psychique, est à venir.

J'ai mis la maison en vente et dix-huit mois plus tard, la maison n'est toujours pas vendue. Je n'ai même pas eu une seule offre d'achat. Je veux savoir quelle peur m'empêche de vendre ma maison.

Êtes-vous bien sûr de vouloir vendre votre maison? Que vivez-vous à l'idée de la vendre? Aussi, quelle est votre motivation pour la vendre? Cette dernière est-elle basée sur une peur? L'univers semble vous envoyer un message. Voilà une belle expérience à vivre pour apprendre à lâcher prise, c'est-à-dire à ne pas être attaché aux résultats.

C'est aussi une belle occasion pour accepter qu'une grande puissance en vous connaît mieux vos besoins. Laissez-vous guider par cette puissance. Cela ne vous empêche pas de vouloir vendre votre maison et de faire des actions en conséquence, mais apprenez à ne pas vouloir contrôler tous les résultats. Nous n'avons malheureusement pas la vue d'ensemble de notre plan divin. Nous en voyons seulement une petite partie à la fois. Voilà pourquoi nous ne comprenons pas toujours ce qui nous arrive. C'est notre intellect qui veut comprendre, mais il lui est impossible de comprendre le plan divin. Il ne peut que l'accepter tel qu'il se déroule et lui faire confiance.

Est-ce une bonne idée de garder secret un projet ou un achat que je veux réaliser ou serait-ce là une indication de peurs cachées?

Tout dépend de vous. Si vous n'avez pas une foi solide, il n'est pas recommandé d'annoncer vos futurs projets à tout le monde. Ceux qui ont peur pour vous peuvent tenter de vous décourager. Si vous n'avez pas assez la foi en votre capacité de matérialiser vos projets, vous pourriez vous laisser influencer par eux. Ils ne contribueraient qu'à éveiller vos peurs.

Lorsque vous n'aurez vous-même plus de peurs, cela vous importera peu que d'autres en aient. Ils pourront exprimer leurs peurs, mais ils ne pourront pas vous toucher.

En vérifiant en vous, si vous découvrez qu'il vous reste certaines craintes, soyez-en conscient, mais dites à ces peurs que vous voulez apprendre à être votre propre maître; que vous voulez arriver à décider vous-même de ce que vous voulez réaliser dans votre vie.

Que dois-je faire pour renverser l'idée que je ne mérite pas les belles choses, comme par exemple une auto, un bel appartement, etc.?

La première chose à faire est de découvrir la croyance derrière cette décision. Demandez-vous: *"Quel est le pire qui pourrait m'arriver si je me donnais le droit d'avoir du beau?"* Cette question a pour but de trouver la croyance non bénéfique qui crée votre peur. Donc, n'acceptez surtout pas la réponse suivante que j'entends souvent: *"Il ne m'arriverait que du bonheur!"* Allez plus loin! Auriez-vous peur d'avoir des problèmes financiers? De perdre vos amis? D'être jugé snob? D'être jugé de gaspilleur? Trouvez votre propre peur et une fois conscient, faites le processus déjà expliqué dans ce livret.

Pouvez-vous aider une jeune femme de 29 ans qui a la sclérose en plaques? Elle a très peur de

devenir "légume", comme sa tante qui a la même maladie.

La sclérose en plaques est une maladie qui atteint quelqu'un qui vit beaucoup de peurs. Voici la signification métaphysique de cette maladie telle que décrite dans mon livre "**Qui es-tu?**":

"La sclérose en plaques se manifeste chez quelqu'un qu'on pourrait qualifier de perfectionniste chronique. Cette personne est extrêmement sévère envers elle-même, elle se fait la vie dure et met un effort intense dans tout ce qu'elle entreprend. Elle croit qu'elle doit souffrir pour obtenir et mériter ce qu'elle possède ou ce qu'elle désire. Elle veut constamment se dépasser et ne se trouve jamais assez bonne, ni assez parfaite. Elle en fait beaucoup plus que nécessaire et cela se complique par le fait qu'elle veut être reconnue. Elle sera, par exemple, très dérangée par celles qui reçoivent autant ou plus qu'elle, alors qu'elle juge que les autres ont moins donné.

Ces personnes sont aussi très psychiques en général. Elles seront facilement la proie de l'agoraphobie, auront beaucoup de peurs et finiront par avoir vraiment besoin de quelqu'un qui s'occupe d'elles, qui les prenne en charge.

Ce sont des personnes qui se critiquent continuellement et qui, par conséquent, critiquent tous les membres de leur entourage. Leur grand désir serait d'être capables de tout faire par elles-mêmes, mais vu qu'elles critiquent sans cesse les autres, elles finissent par avoir besoin des autres pour apprendre à accepter que chacun fait au meilleur de sa connaissance."

J'ai connu plusieurs cas de sclérose en plaques qui se sont nettement améliorés depuis quelques années. Si cette jeune femme continue à entretenir sa peur de devenir "légume", elle s'enlève tout espoir d'amélioration. Toutefois, si elle accepte l'idée que sa maladie est la manifestation physique de ce qu'elle vit intérieurement et qu'elle décide de transformer ses croyances, elle pourra changer quelque chose à sa situation. Il n'en tient qu'à elle de décider si elle veut utiliser son pouvoir de choisir pour s'en sortir.

Pourquoi faut-il que dans chaque famille, il y ait un mouton noir?

Êtes-vous bien sûr que chaque famille a son mouton noir? Dans combien de familles avez-vous vérifié ce fait au Québec ou dans les autres pays? Voyez-vous comment on développe une croyance et qu'on l'entretient? Voulez-vous vraiment croire à cela? Ne serait-il pas plus sage de constater plutôt que certaines familles en ont un et d'autres non? Vous auriez ainsi plus de chances de ne pas vous attirer un mouton noir dans votre propre famille.

Pourquoi mes parents se désistent-ils toujours avec moi quand je leur demande une faveur ou le plaisir de partager une sortie avec eux? C'est toujours le mauvais moment ou la mauvaise occasion pour eux.

Parce que vous y croyez. Observez les mots que vous utilisez. Le mot "toujours" revient deux fois dans votre question. Les mots "toujours" et "jamais" font partie des mots qui nous aident à déceler une croyance. Je vous suggère d'être plus à l'écoute de ce que vous dites et de ce que vous pensez. Vous découvrirez sûrement plusieurs autres croyances qui ne sont pas bénéfiques pour vous, c'est-à-dire des croyances qui produisent le résultat contraire de ce que vous voulez. Décidez de ce que vous voulez et agissez selon ce que vous voulez et non selon ce que vous ne voulez pas.

Que doit-on penser du déficit du gouvernement fédéral? Est-il dû à nos peurs face à l'abondance?

Tout gouvernement représente le peuple qu'il gouverne. Comme la plupart des Canadiens ont des peurs face à l'argent, ces dernières affectent leur abondance. Selon les statistiques de 1989, les Canadiens devaient en moyenne 74% de leur revenu annuel. Ils devaient en tout 250 billions pour des achats de maisons et 89 billions pour d'autres dettes. C'est un montant énorme pour vingt-cinq millions d'habitants. Cela représente environ sept à huit millions de familles. C'est la responsabilité de chacun d'entre nous de se transformer, de s'améliorer pour qu'ainsi le gouvernement suive.

Quelles maladies les peurs apportent-elles?

Toute maladie indique un blocage d'énergie engendré par une peur. Si une personne malade se pose les bonnes questions, elle pourra découvrir la peur derrière le malaise ou la maladie. Le secret de la métaphysique, pour arriver à découvrir un message dans chaque malaise, est de regarder à quoi sert la partie malade. La personne doit ensuite faire le lien avec sa vie de tous les jours et se demander quelle peur elle entretient dans ce domaine.

Prenons comme exemple une personne qui a

mal aux jambes. Les jambes sont utilisées pour aller de l'avant, pour se rendre quelque part. Si cette personne pense ou dit souvent, à propos d'une certaine situation: *"Je n'y arriverai jamais."*, cette affirmation est suffisante pour l'empêcher d'y arriver. Il peut s'agir de la peur de ne pas arriver financièrement, de ne pas arriver à temps ou de ne pas arriver à convaincre quelqu'un d'autre, etc. Sa peur de ne pas y arriver est exprimée physiquement par des jambes malades qui ne pourront plus marcher donc ne plus arriver nulle part si elle continue à entretenir cette peur.

Le malaise est là pour l'aider à devenir consciente de sa peur irréelle, non bénéfique pour elle. Mon livre **"Qui es-tu?"** décrit en détail la cause métaphysique d'environ trois cents malaises et maladies. De plus, un prochain livret de cette collection traitera plus spécifiquement de ce sujet. Il contiendra mes nouvelles découvertes dans ce domaine.

J'ai refoulé mes peurs pendant mon enfance et mon adolescence. Est-ce possible de m'en défaire maintenant que je suis adulte?

Définitivement. Il n'est jamais trop tard pour décider d'améliorer sa qualité de vie. Des personnes âgées de plus de 80 ans prennent des cours chez nous et obtiennent un grand succès. Cependant, j'en connais d'autres qui n'ont que 50 ou 60 ans et qui se disent déjà trop vieux pour changer. Ces personnes ne pourront s'améliorer tant qu'elles entretiendront cette croyance.

Tout est possible à l'être humain qui le décide. Par contre, après avoir passé l'étape de la décision, il est indispensable de passer à l'action pour obtenir des résultats concrets dans notre vie.

Lorsqu'un rêve revient assez fréquemment, parle-t-il du passé ou du futur? Ce rêve me fait peur, je ne l'aime pas, puis-je le changer?

Ce rêve est là pour vous aider à découvrir des peurs inconscientes en vous. Un rêve est toujours là pour vous aider. Il vous libère même du stress accumulé à cause de vos peurs. Avant de vous endormir, vous pouvez demander à aller plus loin dans ce rêve, pour qu'il vous indique une solution facile à comprendre. Afin de vous en souvenir plus facilement, demandez de vous éveiller tout de suite après votre rêve. Ainsi éveillé, toujours dans votre lit, tentez de bouger le moins possible et notez tout sur papier. Plus tard, en relisant votre rêve, il vous sera plus facile de saisir son message.

Gardez à l'esprit qu'un rêve est là pour vous aider à devenir plus conscient. Il ne vous parlera donc pas de quelque chose dont vous êtes déjà conscient. Vous pourriez aussi demander l'aide de quelqu'un qui sait comment décoder les rêves, selon votre propre symbolique. Les rêves sont toujours basés sur des symboles propres à la personne qui rêve.

Peut-on être décidé, enthousiaste et croire en quelque chose, tout en étant mort de peur?

Définitivement! Cela indique deux personnalités contraires en vous. Il n'en tient qu'à vous de décider laquelle des deux l'emportera. Dans d'autres réponses de ce livret, j'indique comment s'y prendre avec deux personnalités contraires.

Comment faire disparaître ma peur d'affronter des personnes que je sens plus intelligentes et plus importantes que moi? Je suis très renfermé et gêné.

Êtes-vous sûr que ces personnes sont plus intelligentes et importantes que vous? Sur quoi vous basez-vous pour croire à cela? Il est vrai que nous rencontrons tous des gens qui occupent des fonctions plus importantes que la nôtre, ou que certaines personnes sont plus connaissantes que nous, mais ce n'est pas cela qui détermine l'importance de chacun.

Avoir des connaissances ne veut pas nécessairement dire être intelligent. Parfois oui, mais plus souvent qu'autrement, les gens très connaissants sont plus "intellectuents" qu'intelligents. L'intellectuence, c'est la faculté de mémoriser. L'intelligence, c'est la faculté de suivre son intuition, de savoir quoi faire ou quoi dire au bon moment. C'est l'intelligence qui apporte le bonheur intérieur, non l'intellectuence. Vous pouvez constater l'intelligence ou l'importance de quelqu'un d'autre, mais cela ne veut pas dire que vous en êtes vous-même dépourvu.

Chaque être humain a son importance sur cette planète, tout comme chaque cellule a son importance dans notre corps. Peut-être qu'une cellule du coeur a une fonction plus importante qu'une cellule du bras, mais cette dernière a tout de même sa raison d'être. Sans elle, quelque chose dans notre corps n'irait pas. Il est donc grand temps pour vous d'apprendre à vous estimer davantage et de parler à cette partie de vous qui croit ne pas être importante.

Est-ce qu'avoir confiance est la même chose qu'avoir la foi?

La confiance est un dérivé de la foi. Dans le mot confiant, on trouve le suffixe "fiant" qui est très près du mot "foi", mais qui vient du verbe se fier. Avoir confiance est donc la capacité de se fier à soi ou aux autres, de se confier sans avoir peur du jugement. On a besoin de foi pour pouvoir arriver à se fier ainsi.

Avoir la foi, c'est plus que croire. C'est savoir quelque chose au plus profond de soi, selon ce que nous ressentons, plutôt que de se baser sur une expérience du passé. Quand quelqu'un dit: *"J'ai confiance en toi"*, il exprime beaucoup plus qu'il a la foi. Par contre, s'il dit: *"Je te fais confiance"*, cette affirmation est plutôt basée sur du vécu, sur une expérience passée. Avoir confiance ou avoir la foi vient donc de la dimension spirituelle et faire confiance, de la dimension mentale.

Une crise économique est-elle due au fait que la majorité des gens y croient?

En grande partie, oui. Plus les gens y croient et plus la crise dure longtemps. Il est intéressant de constater que c'est durant une crise économique que certains sont le plus prospères. On dit que ces crises font partie d'un cycle qui revient environ tous les sept ans sur la planète. Elles aident ainsi les humains à développer leurs forces et à apprendre à moins gaspiller. Les compagnies les plus solides sont celles qui ont débuté durant une crise économique et qui y ont survécu. Les entrepreneurs moins solides n'arrivent pas à surmonter une crise économique. C'est un signe pour eux de passer à autre chose et de céder leur place.

Y a-t-il des gens qu'il est mieux d'éviter ou de ne plus côtoyer? Comme par exemple des personnes que l'on trouve négatives ou non bénéfiques pour notre évolution?

Bien sûr que vous devez choisir les gens que vous côtoyez. C'est votre plein droit. Certaines personnes sont tellement remplies de peurs ou de haine qu'elles essaient même de contaminer les autres. Surtout s'il vous reste certaines peurs (et qui n'en a pas?), il est parfois difficile de ne pas se laisser influencer par ces personnes. Cependant, vous ne devez pas les critiquer ou les abaisser. Soyez conscient de leurs souffrances, de leur noirceur. Soyez conscient aussi de vos limites en réalisant que vous vous laissez encore influencer par des personnes négatives.

Un jour, quand vous serez libéré de vos peurs, ces gens ne vous affecteront plus. Vous pourrez constater qu'ils sont négatifs, mais ils n'auront aucun effet sur vous. Même si vous choisissez de ne pas les côtoyer, n'oubliez pas d'avoir de la compassion pour eux. Je vous suggère, quand vous pensez à eux, de les imaginer baignant dans leur lumière. Cette projection peut les aider à reprendre contact avec leur propre lumière.

Comment se libérer du négatif des autres? J'ai peur d'entendre parler de malaises, de maladies, de mort ou de problèmes car je capte les émotions des autres. Comment puis-je m'en protéger et trouver agréable d'être au service des autres?

Vous ne pourrez jamais vous libérer du négatif

des autres, à moins d'aller vivre seule, isolée quelque part. Vous devez plutôt apprendre à vivre avec des gens qui ont des problèmes et à vous sentir bien quand même. Je vous suggère cependant de respecter vos limites comme je l'ai mentionné dans la réponse précédente. Les personnes comme vous qui captent les émotions des autres sont des personnes qui se sentent trop responsables du bonheur des autres. Ce sujet est couvert en détail dans mon livret intitulé "**La responsabilité, l'engagement et la culpabilité.**"

Quand j'arrive à la dernière étape pour atteindre un but et que les trois quarts du chemin sont faits, il m'arrive fréquemment d'abandonner. Je prends panique. J'ai peur. Comment faire pour arriver à franchir ce dernier pas et atteindre mon but?

Vous semblez ne pas croire au succès. Trouvez la croyance qui vous empêche d'arriver à votre but, c'est-à-dire au succès. Quel est le pire qui peut arriver à une personne ayant du succès? En découvrant votre peur, vous connaîtrez automatiquement la croyance qui vous bloque. Ensuite, vous n'aurez qu'à suivre ce qui a déjà été dit dans ce livret au sujet des croyances non bénéfiques.

Ce matin je me demandais si je devais assister à la conférence de ce soir. Lentement, à mesure que la journée progressait, je ne me sentais vraiment pas bien. J'ai eu des chaleurs, des maux de ventre, maux de tête, etc. Je me suis dit: "Si c'est la conférence de ce soir qui me fait peur, qui me dérange, je n'irai pas!" Je me suis donc persuadée de ne pas y aller. Tous mes malaises ont alors

disparu. Mais à 18h30, j'ai quand même décidé de me déplacer pour venir vous écouter. Ai-je écouté mon coeur? Ma tête? Étaient-ce des peurs? Dois-je à l'avenir ne pas écouter mes malaises?

Au contraire, vous devez écouter ce que vos malaises vous disent. C'est votre coeur qui, à travers votre corps, vous parle. Tout malaise est un signal de peur. Si vous étiez restée chez vous, vous auriez permis à vos peurs de gagner. À l'avenir, si cela se reproduit, parlez à votre corps. Dites-lui: *"O.K. mon corps, tu veux me dire que j'ai peur, merci de ton aide."* Ensuite, vérifiez en vous quelle est la peur qui veut prendre le dessus. Parlez-lui, négociez avec elle, dites-lui ce que vous voulez. Selon votre question, il semble que votre désir d'assister à la conférence était très grand. Aussi, se pourrait-il que vous soyez agoraphobe? Les symptômes que vous avez décrits se manifestent chez les agoraphobes quand ils font face à la possibilité de se retrouver dans une foule.

Comment faire la différence et savoir si c'est le coeur qui me parle ou la tête?

Quand votre coeur vous parle, vous vous sentez bien, vous savez que c'est bien pour vous. Aussitôt que la tête prend le dessus, vous vous sentez moins bien, vous devenez inquiet ou vous vivez des émotions. L'idéal est de penser et d'avoir le coeur ouvert en même temps, c'est-à-dire qu'en plus de penser, vous prenez le temps de vérifier comment vous vous sentez jusqu'à ce que vous trouviez ce avec quoi vous vous sentez le mieux. Cette capacité se développe avec de la pratique.

Lorsque je prends une décision, comment se fait-il que je me sente étouffé dans la partie du plexus solaire? Est-ce une peur?

Vous seul pouvez le savoir en vous posant la question au moment où cela vous arrive. Le plexus solaire est l'endroit où se logent les émotions refoulées. Il se peut fort bien que vous ayez peur de vous tromper dans votre décision. Cette idée fait peut-être remonter à la surface une émotion vécue étant plus jeune quand vous vous étiez trompé.

Croyez-vous à l'hérédité?

De moins en moins. Je constate depuis plusieurs années que les enfants héritent des comportements de leurs parents en achetant les mêmes croyances. Ils héritent donc des mêmes maladies. Une maladie de naissance démontre que déjà avant de naître, cette entité avait les mêmes croyances que ses parents. Arriver à dépasser ces croyances est d'ailleurs la raison pour laquelle elle s'est incarnée dans cette famille. Je parlerai davantage du sujet de la **réincarnation** dans un prochain livret.

Je suis allergique aux crevettes et, jusqu'à maintenant, j'ai eu deux réactions violentes. J'ai consulté un allergiste et il m'a remis une seringue. J'ai très peur que cela m'arrive à nouveau. J'ai même peur d'être contaminé par un ustensile qui aurait touché à des crevettes. Depuis deux ans, je veux faire un test, c'est-à-dire oser manger des crevettes en gardant ma seringue à côté de moi, mais je n'ai pas encore réussi à le faire. Devrais-je le faire?

Donnez-vous le droit d'avoir cette peur et

prenez le temps qu'il vous faudra pour la surmonter. Vous vous en demandez peut-être trop. Vous n'avez pas à vous forcer. Quand votre désir de savoir si vous êtes encore allergique aux crevettes sera assez fort, vous pourrez beaucoup plus facilement faire votre test. Trouver la cause de votre allergie vous aidera aussi à le faire. J'en profite pour vous donner la définition métaphysique d'une allergie telle que décrite dans mon livre "**Qui es-tu?**":

"Les allergies sont l'indication d'un état d'hostilité envers quelqu'un d'autre. Elles se produisent chez des personnes qui ont délaissé leur propre pouvoir et qui se laissent beaucoup trop impressionner par celui des autres. Ce sont souvent des personnes très susceptibles. Il est important qu'elles reprennent contact avec leur propre pouvoir si elles veulent créer leur vie à leur goût.

Les gens allergiques à des aliments, comme l'alcoolique l'est au sucre et à l'alcool, ont beaucoup de mal à accepter de nouvelles expériences. Ils ont peur de la nouveauté et croient que la vie ne peut pas leur réserver quelque chose de bon. Ils deviennent alors allergiques à la chose qu'ils aiment le plus, ce qui les oblige à s'en priver.

Les allergies à la poussière ou aux animaux sont le résultat d'une grande difficulté à accepter l'agressivité des autres. C'est ainsi que la poussière devient semblable à une agression venant de l'extérieur. Le message est de voir que, quand une personne est agressive envers quelqu'un, elle cache souvent sa peur derrière cette agressivité. C'est peut-être sa façon d'aimer l'autre qui s'exprime ainsi à cause d'un trop plein d'émotions non maîtrisées."

Mon épouse est obsédée par l'idée que je la trompe sans cesse avec d'autres femmes. Elle dit même que j'ai fait l'amour avec notre brue. Comment peut-elle croire à cela quand je suis toujours avec elle? Que devrais-je faire?

Vous n'avez pas à subir ses peurs. Dites-lui que vous ne voulez plus faire partie de ses peurs, qu'elles lui appartiennent et qu'elle seule peut s'en libérer. Vous ne pouvez pas le faire pour elle. Soyez ferme et dites-lui qu'elle peut garder ses peurs si elle le veut, mais que vous ne voulez plus en entendre parler. La lecture de ce livret l'aiderait peut-être. Vous pouvez lui suggérer, mais elle doit décider par elle-même. N'insistez pas, mais ayez beaucoup de compassion pour elle, car une obsession apporte beaucoup de souffrance. C'est l'enfer sur terre. Aussi souvent que vous le pouvez, imaginez-la baignant dans sa lumière.

Que fait-on quand on pense qu'une chose est réglée et que la vieille croyance qui nous faisait peur revient?

Acceptez, constatez qu'elle est encore là, mais dites-lui que ce n'est pas ce que vous voulez pour le moment. Donnez-vous le droit de ne plus la vouloir. Souvenez-vous que lorsque vous l'avez créée, c'était pour une bonne raison. Vous en aviez besoin. Ne forcez pas pour la faire disparaître, vous lui donneriez du pouvoir. Surtout ne vous fâchez pas.

Même si vous n'avez pas réussi à trouver quelqu'un à qui donner un vieux vêtement que vous ne désirez plus, est-ce une raison pour vous choquer? Il est peut-être encombrant parce qu'il prend de la place dans votre garde-robe, mais vous savez qu'éventuellement il ne sera plus là. Il en va de même pour une croyance qui ne vous est plus utile.

Depuis que je deviens plus consciente et que j'ai moins de peurs en changeant mes croyances, c'est maintenant ma famille qui a peur. Ils me disent qu'ils ont peur de ne plus me reconnaître. Que dois-je faire?

C'est une réaction assez courante chez la famille de ceux qui se transforment. S'ils ont peur que vous changiez, c'est parce que cette peur est aussi présente en vous. Les gens autour de nous sont toujours là pour nous refléter ce qui se passe en nous. Se peut-il que vous ayez peur qu'ils vous aiment moins si vous êtes différente? Il est important de réaliser qu'au fond de vous-même, vous ne changez rien. Vous ne faites que redevenir vous-même. Vous reprenez contact avec qui vous êtes réellement.

S'ils se sentent concernés, se peut-il que votre transformation ait eu un effet sur votre comportement avec eux? Il est important d'y aller graduellement quand nos transformations touchent notre entourage. Si vous agissez différemment avec eux, expliquez-leur ce qui vous arrive. Quand ils sentiront le bonheur que vous avez à vous redécouvrir, leurs peurs s'en iront.

Je m'aperçois que mon épouse et moi ne croyons pas aux mêmes choses, que nous avons des peurs différentes. Je m'inquiète pour mes enfants qui ne savent pas sur quel pied danser avec deux parents aussi différents.

Accepter vos différences est une très belle preuve d'amour pour votre épouse et vous-même. Vos enfants doivent apprendre à faire la même chose. Il est même bon pour eux d'être en contact avec différentes croyances. Ils pourront ainsi apprendre à décider par eux-mêmes ce qui leur convient le plus.

Soyez ouverts, vrais, transparents avec vos enfants. Expliquez-leur que vos croyances vous appartiennent et que vous faites de votre mieux en tant que parents avec ces croyances. Dites-leur qu'avec le temps, ces croyances se transformeront et que vous aurez alors une attitude différente avec eux. Ce n'est pas parce que vous êtes parents que vous devez avoir atteint la perfection divine. Vos enfants doivent vous accepter avec vos peurs, vos défauts, vos qualités, vos hauts et vos bas, comme vous devez le faire avec vous-mêmes.

Depuis plusieurs années, je veux rencontrer un nouveau conjoint, j'ai beaucoup de foi et je me programme dans ce sens. Vous dites qu'il nous arrive ce à quoi nous croyons. Comment se fait-il que c'est le contraire qui m'arrive?

Un cas comme le vôtre cache une peur inconsciente. J'ai pu observer qu'en général, lorsqu'un désir est motivé par une peur et que cette dernière est inconsciente et non acceptée, le désir ne se manifeste pas. Vérifiez au plus profond de vous-même. Demandez-vous pourquoi vous voulez avoir un conjoint? Serait-ce parce que vous avez peur de la solitude, de l'insécurité financière, ou de ne plus être désirable? Y a-t-il une peur de manquer de quelque chose? Quand vous aurez découvert votre peur, acceptez-la, comme il est suggéré ailleurs dans ce livret.

Un désir doit toujours être motivé par ce que nous apprendrons, par l'aide qu'il nous apportera à grandir spirituellement, c'est-à-dire dans l'amour de soi et des autres. Il ne doit pas être motivé par une peur de manquer ou de perdre.

Quelle est la peur la plus forte?

J'en suis venue à la conclusion que toutes les peurs indiquent une peur de perdre quelque chose ou quelqu'un, une peur de mourir à quelque chose ou à quelqu'un. C'est la raison pour laquelle les gens ont si peur de se transformer car pour ce faire, ils doivent justement mourir à quelque chose. C'est seulement ainsi qu'ils pourront renaître à quelque chose de nouveau. La peur de perdre est contraire à la foi qui dit qu'il y a de tout en abondance dans l'univers pour tout ce qui vit sur la terre.

CONCLUSION

Vous avez sûrement constaté que la notion d'acceptation est souvent revenue dans ce livret. C'est l'étape la plus importante. En fait, c'est une étape indispensable lorsque vous voulez vous défaire d'une peur ou faire quelque changement que ce soit dans n'importe quel domaine de votre vie.

Voici donc une révision des étapes à suivre quand une peur est présente.

1) Devenez conscient d'une peur en vous posant la question: *"Quel est le pire qui pourrait m'arriver si..."*

2) Réalisez qu'en découvrant une peur, vous avez touché à une croyance du passé qui n'est plus bénéfique pour vous maintenant.

3) Donnez-vous le droit d'avoir cru à cela, sans vous juger, sans vous critiquer, sans vous diminuer, même si vous ne savez pas pourquoi vous avez décidé de croire à cela un jour. Acceptez seulement qu'au moment où vous y avez cru, vous croyiez bien faire.

4) Acceptez que votre peur vient tout simplement de cette croyance en vous qui elle-même a été créée par votre dimension mentale et qui a sa propre volonté de vivre. Elle fait tout en son pouvoir pour ne pas mourir, elle assure ainsi sa survie. Ne lui en voulez pas.

5) Rassurez la partie en vous qui représente votre croyance et qui a peur en lui disant que vous ne voulez pas la faire mourir. Vous voulez seulement qu'elle reprenne sa place en tant que

mémoire du passé et vous seul déciderez quand vous en aurez besoin. Au fond, c'est ce que cette partie désire. Elle aura beaucoup moins de travail à faire pour assurer sa survie. En se sentant accueillie par vous, elle se calmera et reprendra sa place.

6) Découvrez le désir caché derrière cette peur.

7) Faites des actions en fonction de ce désir sans nécessairement savoir d'avance quelle orientation ces actions vous feront prendre.

8) Ayez le résultat que vous préféreriez en tête, mais n'y soyez pas attaché. Acceptez qu'il y a peut-être autre chose de beaucoup mieux pour vous que vous n'aviez pas prévu.

9) Ayez confiance en votre **DIEU** intérieur, c'est-à-dire ayez la foi; sachez que vous êtes sans cesse guidé vers des expériences nouvelles et qu'il y a toujours quelque chose à apprendre dans chaque expérience. Soyez conscient que votre **DIEU** intérieur vous pardonne toujours car **Il** sait que vous êtes humain et que vous avez besoin de multiples expériences pour évoluer. Pourquoi ne feriez-vous pas alors la même chose avec votre mental? Acceptez ce pardon en le ressentant en vous et en voyant le bon côté de toute expérience.

Plus vous aurez du courage, plus vous dépasserez vos peurs et changerez vos croyances et plus vous laisserez votre **DIEU** intérieur, votre intuition, votre superconscience décider pour vous. Ainsi, vous en arriverez à ne plus croire, mais à savoir au plus profond de vous ce qui est bon à chaque instant. Voilà une belle raison d'être!

L'affirmation précédente suscite probablement la question suivante: *"Comment puis-je être sûr que ce que je pense n'est plus une "croyance" mais bien un "savoir" profond?"* Quand nous croyons à quelque chose et que quelqu'un d'autre conteste cette croyance, nous sommes tout de suite portés à nous justifier et à vouloir expliquer à l'autre pourquoi nous y croyons. Nous voulons convaincre l'autre de croire à la même chose que nous. Quand nous savons que c'est ce qui est bon pour nous, nous acceptons facilement que les autres ne pensent pas nécessairement comme nous et cela, sans nous sentir menacés.

Voici un exemple: Une personne croit, après en avoir entendu parler, qu'il est mieux pour sa santé de ne pas manger de viande. Elle croit peut-être aussi que c'est une façon de devenir plus spirituelle. Quand cette personne rencontre quelqu'un qui lui dit croire au contraire, c'est-à-dire qu'il est mieux de manger de la viande car c'est le meilleur moyen d'avoir suffisamment de protéines, elle aura de la difficulté à être calme et laisser l'autre parler. Les deux, parce que ce sont des croyances qui les motivent, tenteront de se convaincre l'une et l'autre de leur croyance respective.

Par contre, si la même personne sait au plus profond d'elle-même que la viande n'est pas bénéfique pour elle, elle n'aura aucune difficulté à accepter que l'autre ne pense pas comme elle. Elle pourra même se souvenir qu'un jour, elle a cru elle aussi que la viande était bonne. Elle ne jugera pas celui qui mange encore de la viande.

Comme vous le voyez par cet exemple, le fait de croire peut engendrer des peurs tandis que le fait d'avoir la certitude en soi, ou de savoir ou d'avoir la foi, n'engendre aucune peur.

Il est dit partout dans les prophéties et les grands enseignements qu'avec l'ère du Verseau, la plus grande urgence est de se libérer de ses peurs. Le Pape en parle lui-même fréquemment.

Avec ce nouvel âge, ceux qui insistent à entretenir leurs peurs vivront des drames très difficiles et auront de plus en plus de maladies sérieuses. Ceux qui surmonteront leurs peurs vivront une époque merveilleuse d'amour, de santé, d'harmonie et d'abondance. Lequel de ces choix sera le vôtre? Vous seul avez le pouvoir de transformer votre vie. Personne au monde ne peut le faire pour vous.

N'est-il pas merveilleux de savoir que vous possédez la puissance intérieure nécessaire pour transformer votre vie pour le mieux dès aujourd'hui? N'hésitez plus, redécouvrez qui vous êtes véritablement et agissez en conséquence!

Centre de croissance et de développement personnel

ÉCOUTE TON CORPS

L'endroit idéal pour améliorer sa qualité de vie!

Catalogue
des Produits
et Services
Offerts

ÉCOUTE TON CORPS
à Ste-Marguerite(Ste-Adèle)

Les enseignements du Centre ÉCOUTE TON CORPS

Les enseignements ont pour but d'éveiller la conscience des gens en utilisant, comme moyen principal d'éveil, leur corps. Celui-ci est un guide précis qui ne ment jamais. Toute disharmonie dans le corps, qu'elle se présente sous forme d'un malaise, d'une maladie, d'un problème de poids, d'un accident, d'une dépendance, d'une émotion, etc., est le signe certain d'une disharmonie intérieure, plus profonde.

Madame Bourbeau a constaté, au fil des années, qu'à la base de chacune de ces disharmonies se trouve le manque d'amour véritable de soi et des autres. Madame Bourbeau reconnaît bien que la grande majorité des humains sont remplis d'amour, mais ils ne savent pas l'exprimer de la bonne façon. Ils expriment l'amour de la façon dont ils l'ont apprise avec leurs parents, c'est-à-dire d'une façon possessive, en rendant les autres responsables de leur bonheur ou de leur malheur. Cette forme d'amour n'apporte jamais de résultats durables. Il amène plutôt des peurs, de la culpabilité, des rancunes et des émotions; il amène les gens à se créer des croyances et des masques qui, croient-ils, vont les empêcher de souffrir... ce qui n'est qu'une illusion.

Des cours d'actions. ..

Les cours d'ÉCOUTE TON CORPS sont des cours d'actions où toute personne, grâce aux méthodes qui y sont enseignées, peut arriver à décoder les différents messages de son corps et ainsi reprendre la maîtrise de sa vie. Les multiples outils qui y sont offerts aident, si utilisés sur une base régulière, à obtenir les résultats tant convoités dans des domaines tels que les relations (conjoint, enfants, amis, etc.), le travail, la santé, l'énergie, l'argent, etc.

Et encore plus. ..

Voici un aperçu de ce qu'offre le Centre ÉCOUTE TON CORPS:

Un cours de base, donné durant sept semaines à raison d'un soir par semaine, ou adapté en cours intensif de fin de semaine;

Plusieurs ateliers spécialisés pour mieux se connaître à travers le poids, la nourriture, l'argent, la sexualité, les peurs, l'énergie, les couleurs et les rêves;

Des ateliers intensifs visant à aider les relations de couple et les relations entre parents et enfants, en améliorant leur façon de communiquer;

D'autres forfaits de fin de semaine, d'une ou de deux semaines afin de devenir plus conscient et d'améliorer la qualité de sa vie tout en se reposant, en jeûnant ou en méditant;

(514) 229-6564 si interurbain **1-800-361-3834**

II

Une bonne variété de traitements tels les massages, traitements d'énergie, hydrothérapie, et autres;

Un cours d'animation ayant comme objectifs de développer la confiance en soi, d'améliorer l'écoute active et d'apprendre à parler en public. C'est à travers ce cours que sont formés les animateurs/trices qui travailleront à leur compte ou qui deviendront animateurs/trices à ÉCOUTE TON CORPS;

Le cours "Consultant ÉCOUTE TON CORPS" où sont enseignées différentes techniques de consultation afin d'aider les clients à travailler sur eux-mêmes en utilisant les messages de leur corps comme guide;

L'association ÉCOUTE TON CORPS, mise sur pied pour regrouper les animateurs qui veulent enseigner le cours ÉCOUTE TON CORPS dans différentes régions et pour les consultants/es ÉCOUTE TON CORPS;

Plusieurs livres écrits par Lise Bourbeau, qui servent à aider les personnes voulant continuer leur croissance personnelle à la maison;

Une collection de cassettes enregistrées lors des conférences données par Lise Bourbeau depuis plusieurs années;

Un service de commandes postales pour ceux qui ne peuvent venir au Centre de Ste-Marguerite pour se procurer ces items.

Un immense Centre situé dans les Laurentides

Pour couronner et regrouper le tout, un immense Centre situé dans les Laurentides, au Québec (environ 70 km au nord de Montréal), dans un décor naturel et enchanteur qui longe la Rivière du Nord, idéal pour des randonnés splendides en toutes saisons. Le centre peut accueillir plus de cent personnes à la fois. En plus il y a un terrain de golf à quelques pas et beaucoup d'autres activités de plein air à proximité.

Le Centre ÉCOUTE TON CORPS est un des points de lumière au Québec qui, grâce à ses enseignements, aide ses participants à développer davantage l'amour.

Développer sa capacité d'aimer et devenir par le fait même plus heureux permet de rayonner davantage et de répandre la lumière tout autour de soi. Voilà donc un excellent moyen pour chacun de contribuer à la venue d'un monde d'amour, de paix et d'harmonie.

Sommaire du cours
Écoute Ton Corps

(7 soirs, 7 jours ou sur fin de semaine)

Semaine 1

AIMER VOTRE VIE DAVANTAGE: À travers toutes sortes de messages et d'événements tels qu'accidents, malaises (dos, jambes, maux de tête, etc), relations difficiles (conjoint, enfant, patron, etc), maladies (diabète, cancer, coeur, hypoglycémie, etc), votre corps vous informe du degré et de la qualité d'amour que vous vous accordez. Où avez-vous appris à aimer? Venez découvrir une nouvelle façon, plus agréable, d'aimer et de l'exprimer.

Semaine 2

ÊTRE PLUS À L'ÉCOUTE DE VOTRE CORPS MENTAL: À la base de chaque situation insatisfaisante dans votre vie se trouve une croyance, acquise étant jeune. La seule façon de changer cette situation est de changer la croyance qui l'accompagne. Dans ce cours, vous apprendrez à identifier et à vous défaire de ces croyances que vous remplacerez par celles qui vous apporteront le résultat désiré (poids idéal, argent, buts précis, travail, etc).

Semaine 3

ÊTRE PLUS À L'ÉCOUTE DE VOS VRAIS BESOINS: Êtes-vous le type de personne qui fait tout pour que ceux qui vous entourent soient heureux? Avez-vous tendance à vous sentir coupable de ne pas en avoir fait assez lorsque tout ne va pas comme sur des roulettes? Si vous êtes de ceux qui s'en mettent trop sur les épaules, vous apprendrez à vous libérer de ce fardeau en identifiant votre vraie responsabilité et en clarifiant la notion de l'engagement. Pour arrêter de vivre de la culpabilité, apprenez la différence entre *se sentir* coupable et *être* réellement coupable.

Semaine 4

ÊTRE PLUS À L'ÉCOUTE DE VOTRE CORPS PHYSIQUE: Avez-vous de la difficulté à vivre sans alcool? Sans sucre (chocolat, liqueur, gomme, dessert, sucre dans votre café, etc.)? Sans médicaments? Sans cigarettes? Sans drogues? Si oui, c'est que vous tentez vainement de combler un besoin intérieur par quelque chose de l'extérieur. Entrez en contact avec ce besoin et apprenez à le combler afin d'arriver à vous débarrasser de cette dépendance. Vous découvrirez aussi un moyen de vous aimer davantage, vous aidant ainsi à moins dépendre de l'amour des autres.

Semaine 5

ÊTRE PLUS À L'ÉCOUTE DE VOS ÉMOTIONS: Vivez-vous des émotions telles que: la colère, la tristesse, l'agressivité, la jalousie, la solitude, l'insécurité, la rancune, etc.? Découvrez d'où viennent ces émotions et pourquoi elles se répètent sans cesse. Apprenez la technique idéale afin d'arriver à exprimer ces émotions sans accuser les autres, pour ainsi vous en libérer complètement. Venez aussi découvrir le grand pouvoir de guérison du pardon.

Semaine 6

ÊTRE PLUS À L'ÉCOUTE DES OBSTACLES RENCONTRÉS: Qu'est-ce qui empêche d'évoluer? Qu'est-ce qui fait que communiquer et s'exprimer librement soit si difficile? La peur du rejet, l'orgueil, la peur de se faire critiquer et le perfectionnisme sont quelques-unes de ces raisons qui seront approfondies lors de ce cours. Vous y apprendrez des moyens rapides et concrets afin de vous débarrasser de ces obstacles et d'évoluer vers l'amour et l'acception de vous-même et des autres.

Semaine 7

ÊTRE PLUS À L'ÉCOUTE DE VOTRE SPIRITUALITÉ: Quelle est votre raison d'être sur la terre? Avez-vous une mission? Venez acquérir les outils afin de redécouvrir votre vraie dimension spirituelle. Réalisez l'importance "d'être" afin d'arriver à faire et à avoir ce que vous désirez vraiment.

N.B. : Chaque semaine comprend une période de révision du cours précédent suivie des sujets de la soirée, d'une pause et, le cours se termine par une détente dirigée. (Chaque cours est d'une durée de 3h30)

Centre de croissance et de développement personnel

ÉCOUTE TON CORPS

L'endroit idéal pour améliorer sa qualité de vie!

vous offre une série de cours pour vous permettre de mieux intégrer les notions du cours de base

- ■ Cours ÉCOUTE TON CORPS *(7 soirs ou fin de semaine)*
- ■ Se découvrir à travers son poids *(1 jour)*
- ■ Le corps et son énergie - les chakras *(1 jour)*
- ■ Besoin des trois corps *(1 jour)*
- ■ L'argent et l'abondance #1 *(1 jour)*
- ■ Le corps et sa sexualité *(1 jour)*
- ■ Comment surmonter les peurs *(1 jour)*
- ■ Écoute et communique *(1 jour)*
- ■ Le langage des couleurs *(1 jour)*
- ■ À l'écoute de ses rêves *(1 jour)*
- ■ Couple idéal *(2 jours)*
- ■ L'argent et l'abondance #2 *(2 jours)*
- ■ Parent idéal *(2 jours)*
- ■ Animation *(2 parties)*
- ■ L'Abandon *(2 jours)*
- ■ Écoute ton Âme *(2 jours)*
- ■ Vendre sans peur et avec coeur *(3 jours)*
- ■ Forfait Repos et Énergisation *(7 jours)*
- ■ Forfait Repos et Jeûne *(5, 7 ou 10 jours)*
- ■ Forfait Retrouver le goût de vivre *(2 semaines complètes)*
- ■ Forfait Se Faire Dorloter *(2 jours)*
- ■ Forfait Vers la liberté *(7 jours)*
- ■ Forfait Méditation *(5 jours)*
- ■ Forfait Journée(s) de repos *(1 jour ou plus)*
- ■ Consultant *(4 jours)*

Téléphonez-nous pour obtenir notre brochure d'information

(514) 229-6564
Si interurbain 1-800-361-3834
Télécopieur (514) 229-9915

Conférence de Lise Bourbeau sur cassette

Prix: 11,95$ *(taxes en sus)*   *Poids:* **100gr**

(C-01) LA PEUR, L'ENNEMIE DE L'ABONDANCE
Découvrez toutes les peurs inconscientes qui empêchent l'abondance dans les biens, l'argent, le succès, l'amour, etc...

(C-02) VICTIME OU GAGNANT
Prenez conscience de la partie victime en vous et de son influence nuisible dans certains domaines de votre vie.Voyez aussi comment la surmonter et devenir gagnant.

(C-03) COMMENT SE GUÉRIR SOI-MÊME
Devenez conscient de toutes les différentes façons de créer un malaise ou une maladie et aussi comment renverser le processus et apprendre à les prévenir.

(C-04) L'ORGUEIL EST-IL L'ENNEMI PREMIER DE TON ÉVOLUTION?
Vous verrez la description du comportement d'un orgueilleux, le prix à payer quand l'orgueil domine et quoi faire pour maîtriser l'orgueil.

(C-05) SEXUALITÉ, SENSUALITÉ ET AMOUR
Établissez la différence entre la sexualité, la sensualité, la passion et l'amour véritable.

(C-06) COMMENT ÊTRE RESPONSABLE SANS SE SENTIR COUPABLE
Lise Bourbeau établit la différence entre être responsable, se sentir coupable et être vraiment coupable. Quelle est la véritable responsabilité de chacun?

(C-07) L'ÉNERGIE – COMMENT NE PAS PERDRE CONTACT.
Vous entendrez une explication simple et pratique des centres d'énergie (chakras) et comment bien calibrer l'énergie dans chaque partie du corps.

(C-08) LE GRAND AMOUR PEUT-IL DURER?
On traite de ce qui empêche l'amour intime véritable de durer et la signification du "don de soi". On y donne les divers moyens pour réussir à le vivre plus longtemps.

(C-09) COMMENT S'AIMER SANS AVOIR BESOIN DE SUCRE
Le grand scandale du sucre depuis 400 ans sur la terre. Les effets du sucre chez l'être humain. Devenez conscient de votre addiction au sucre pour compenser le manque d'amour ou de confiance en soi. Aussi, on parle du diabète et d'hypoglycémie.

(C-10) COMMENT ÉVOLUER À TRAVERS LES MALAISES ET LES MALADIES
Les différentes causes des malaises et maladies. La différence entre soigner médicalement et soigner métaphysiquement. La définition métaphysique de plusieurs malaises et maladies.

(C-11) LA PEUR DE LA MORT
D'où vient la peur de mourir? Qu'arrive-t-il véritablement à la mort? Transition à la dimension astrale.

(C-12) LA SPIRITUALITÉ ET LA SEXUALITÉ
Le développement de l'énergie sexuelle. La grande influence du complexe d'Oedipe sur notre vie sexuelle d'adulte. L'homosexualité, l'inceste.

(C-13) MA DOUCE MOITIÉ, LA T.V.
Quelle est l'influence de la télévision dans votre vie? Comment apprendre à vous connaître à travers les émissions que vous regardez?

(C-14) LA RÉINCARNATION VOLET I
Des réponses aux questions sur la réincarnation et le karma. Ce qui se passe à la mort. Le plan astral.

Commandez au (514) 229-6564 ou 1-800-361-3834

Catalogue

(C-15) LA RÉINCARNATION VOLET II
La réincarnation de la terre dans ses moments de gloire ou d'épreuve. Les grands êtres qui gèrent la terre dans l'invisible. Les prophéties futures de la terre. L'ère du Verseau.

(C-16) LA SPIRITUALITÉ ET L'ARGENT
Les attitudes négatives qui bloquent l'arrivée de l'argent dans notre vie. L'argent est une énergie divine. Quinze moyens concrets pour être en contact avec cette énergie, l'argent.

(C-17) LA SPIRITUALITÉ DANS LA RELATION PARENT-ENFANT
Les désirs des parents pour leurs enfants sont-ils vraiment bénéfiques pour eux? Comment avoir des relations harmonieuses entre parents et enfants?

(C-18) LES DONS PSYCHIQUES
Que veut dire être psychique? Est-ce avantageux ou non? Comment utiliser les dons psychiques. L'avantage de développer l'intuition. Pourquoi certains enfants sont hyperactifs et font des cauchemars.

(C-19) ÊTRE VRAI... C'EST QUOI AU JUSTE?
Pourquoi est-ce si difficile d'être vrai? Comment y parvenir dans différents secteurs de notre vie: au travail, en société, en famille, avec le conjoint, avec soi-même.

(C-20) COMMENT SE DÉCIDER ET PASSER À L'ACTION
Qu'est-ce qui nous empêche de se décider ou de passer à l'action? Comment stimuler notre merveilleux pouvoir de créer.

(C-21) L'AMOUR DE SOI
L'amour de soi est basé sur un sentiment de fierté personnelle et légitime, pourtant... Pourquoi est-ce si difficile de s'aimer? De se sentir aimé?

(C-22) LA PRIÈRE, EST-CE EFFICACE?
Devenir conscient de nos intentions quand nous prions et de notre façon de prier. La prière d'hier et celle de demain. Quelle différence y a-t-il entre une prière et une affirmation?

(C-23) LE CONTRÔLE, LA MAÎTRISE, LE POUVOIR.
Quelle est la différence entre ces trois termes. Que supposent-ils? Où et comment les utiliser et à quel prix.

(C-24) SE TRANSFORMER SANS DOULEUR
Être capable de prendre le risque de se transformer malgré les peurs et les douleurs. Expérimenter une nouvelle attitude face à l'amour, à sa responsabilité, à soi-même. Savoir se regarder, être vrai et s'exprimer.

(C-25) COMMENT S'ESTIMER SANS SE COMPARER
Lise Bourbeau nous aide à prendre conscience des ravages qu'un certain type de comparaison produit sur nous et comment cesser de l'utiliser.

(C-26) ÊTES-VOUS PRISONNIER DE VOS DÉPENDANCES?
D'où viennent les dépendances qui rendent les gens esclaves? Comment s'en libérer et devenir notre seul maître.

(C-27) LE POUVOIR DU PARDON
Comment utiliser le pardon pour briser les liens qui nous attachent à ceux envers qui on entretient des rancunes. Comment le pardon libère une énergie de soulagement et de guérison sur les plans moral et physique, créant une ouverture à l'abondance.

(C-28) COMMENT ÊTRE À L'ÉCOUTE DE SON COEUR
Nous verrons que le refus d'écouter son coeur pousse notre corps à nous envoyer des messages pour nous ramener sur le chemin de l'amour.

(C-29) ÊTRE GAGNANT EN UTILISANT SON SUBCONSCIENT
Lise Bourbeau explique la différence entre le conscient, l'inconscient et le sub-conscient. Comment faire ressurgir les informations enfouies dans l'inconscient. Comment utiliser le subconscient à son meilleur et vous laisser guider par lui.

Téléphonez et obtenez un service de commande rapide

(C-30) COMMENT RÉUSSIR À ATTEINDRE UN BUT

Lise Bourbeau nous explique à travers l'aventure du livre "ÉCOUTE TON CORPS" comment elle est parvenue à son but ultime "enseigner à aimer" d'une façon très différente de ce qu'elle avait planifié.

(C-31) REJET, ABANDON ET SOLITUDE

Pourquoi certaines personnes vivent constamment du rejet? D'où vient la peur d'être abandonné? La solitude: Le grand fléau des années 80. Quoi faire pour se défaire de ces peurs: être rejeté, être abandonné, être seul.

(C-32) BESOIN, DÉSIR OU CAPRICE?

Comment parvenir à déterminer ce qui nous rendrait vraiment heureux en identifiant nos vrais besoins. Apprendre à faire la différence entre les désirs et les caprices.

(C-33) LES CADEAUX DE LA VIE

Les cadeaux dans la vie ne sont pas toujours ce que nous croyons. Apprendre à voir dans chaque événement les avantages, les messages qu'ils nous apportent.

(C-34) JUGEMENT, CRITIQUE OU ACCUSATION?

Dans cette conférence, Lise Bourbeau nous fait découvrir les bons aspects de la critique et comment l'utiliser pour nous connaître davantage. Comment s'exprimer sans juger ou accuser l'autre?

(C-35) RETROUVER SA CRÉATIVITÉ

Tout être humain est créatif, peu importe de quelle façon il l'exprime. Cette conférence nous fait découvrir que la créativité n'est pas exclusive aux artistes et qu'elle peut s'exprimer dans bien des domaines et de bien des façons.

(C-36) QUI GAGNE, VOUS OU VOS ÉMOTIONS?

Pourquoi vous vivez sans cesse les mêmes émotions. Cette conférence vous donne des moyens pour devenir conscient et éliminer les émotions.

(C-37) COMMENT AIDER LES AUTRES

Vous découvrirez différentes façons d'aider les autres. Quelle attitude avoir quand une personne a besoin de votre aide. Comment rester détaché et demeurer efficace. Quoi faire si vous vous sentez dépassé par les problèmes de l'autre.

(C-38) LE BURN-OUT ET LA DÉPRESSION

Lise Bourbeau décrit le profil psychologique des gens enclins au burn-out ou à la dépression et fait la différence entre les deux. Quels malaises de l'âme se cachent derrière? Leurs causes méta- physiques sont mises en relief ainsi qu'un moyen efficace pour prévenir ou guérir.

(C-39) LE PRINCIPE MASCULIN-FÉMININ EN SOI

Lise Bourbeau nous fait voir comment la négation d'un de ces 2 principes influence notre tendance à vouloir dominer notre conjoint ou à lui être soumis. Comment il est possible de créer l'harmonie entre ceux-ci et améliorer toutes nos relations. Une courte détente dirigée fait découvrir lequel de nos 2 principes est le plus fort.

(C-40) LA PLANÈTE TERRE ET SES MESSAGES

Cette conférence souligne l'urgence de prendre conscience du parallèle entre les messages du corps et les messages de la Terre. Que signifient les raz-de-marée, les ouragans, les éruptions volcaniques et autres séismes.

(C-41) SANS VIANDE ET EN PARFAITE SANTÉ

Cette conférence a pour but de faire connaître les effets de la viande chez l'humain.Comment s'habituer à un régime sans viande tout en écoutant les besoins du corps physique.

(C-42) DÉVELOPPER LA CONFIANCE EN SOI

Savoir faire la différence entre avoir confiance et avoir faire confiance. Plusieurs moyens pratiques pour développer la confiance en soi, ce qui aide à développer la créativité et l'abondance dans sa vie.

(C-43) COMMENT LÂCHER PRISE

Savoir faire la différence entre le contrôle, le lâcher prise et la soumission. Les grands avantages du lâcher prise et plusieurs moyens pratiques pour y arriver.

(C-44) LES CROYANCES INCONSCIENTES QUI MÈNENT NOTRE VIE

D'où viennent les croyances? Savoir faire la différence entre celles qui sont bénéfiques pour soi ou non. Comment arriver à se défaire des croyances qui ne nous apportent pas le résultat désiré.

(C-45) LES PEURS QUI NOUS HABITENT

Le pourquoi des peurs - Comment voir le bon côté de vos peurs et les utiliser à votre avantage. Explication de l'agora-phobie (la peur d'avoir peur). Comment arriver à ne plus être manipulé par les peurs et à les dépasser.

(C-46) QUAND LE PERFECTIONNISME S'EN MÊLE

Comment rechercher la perfection et arrêter d'avoir peur de se tromper. Le lien entre le perfectionnisme, l'orgueil et la peur de dire la vérité. Quelle est la vraie perfection à atteindre.

(C-47) LE MONDE ASTRAL

Cette conférence explique ce qui se passe dans ce monde subtil et invisible. Comment il manipule l'être humain sans qu'il en soit conscient et quoi faire pour retrouver son propre pouvoir. Comment utiliser l'énergie astrale à son avantage.

(C-48) COMMENT VIVRE LE MOMENT PRÉSENT

Par des techniques pratiques, vous découvrirez ce que veut dire "vivre son moment présent" et comment y parvenir, tout en continuant à planifier le futur sans être prisonnier.

(C-49) ÊTES VOUS LIBRE, LIBÉRÉ OU MANIPULÉ?

Être libre est essentiel à son bonheur. Comment peut-on arriver à la liberté? Cette conférence permet de vérifier si vous dirigez vous-même votre vie, ou si vous êtes constamment manipulé. Faites les différence entre être libre, libéré ou manipulé.

(C-50) SAIS-TU QUI TU ES?

Êtes-vous comme un de vos parents ou avez-vous développé une personnalité contraire? Lorsque vous vivez des peurs, des émotions, des doutes...vous n'êtes plus vous-même. Par des moyens pratiques, vous apprendrez à mieux vous connaître.

(C-51) QUI EST TON MIROIR?

Utiliser la technique du miroir est le moyen le plus efficace et le plus rapide pour apprendre à se connaître et à s'aimer davantage. Apprenez à utiliser cette technique de façon constructive.

(C-52) SE CONNAÎTRE À TRAVERS SON ALIMENTATION

Apprenez à vous connaître davantage en interprétant vos habitudes alimentaires. Pourquoi avez-vous tendance à manger plus salé, sucré, gras ou épicé, certains aliments particuliers?

(C-53) LES PROPHÉTIES SONT-ELLES VRAIES?

Découvrez le but et comment interpréter les différentes prédictions faites depuis plusieurs siècles, par exemple la fin du monde, prédit pour l'an 2000. Apprenez à composer avec ces prophéties sans en avoir peur, en restant réaliste.

(C-54) COMMENT SE FAIRE PLAISIR

Découvrez l'importance de se faire plaisir plutôt que de seulement faire plaisir à ceux qui vous entourent! Apprenez à reconnaître ce qui vous fait réellement plaisir et comment le faire. . . sans vous sentir coupable!

(C-55) LES MESSAGES DU POIDS

Découvrez les causes profondes et intérieures d'un manque ou d'un surplus de poids. Apprenez à vous connaître à travers votre poids et à vous accepter tel que vous êtes, afin de vous diriger vers votre préférence. Découvrez également l'influence et l'impact de vos croyances et de vos pensées en ce qui concerne votre poids.

(C-56) LES RAVAGES DE LA PEUR

Durant cette conférence, vous découvrirez quelles peurs se cachent derrière l'orgueil, la jalousie, la dépendance, la passion et plusieurs autres émotions négatives. Devenir conscient et identifier la peur est déjà le premier pas vers sa libération.

Téléphonez et obtenez un service de commande rapide

(C-57) QUOI FAIRE AVEC NOS ATTENTES

Vivez-vous souvent de la déception? Si tel est le cas, c'est que vous avez beaucoup trop d'attentes. Découvrez quand il est bon d'avoir ou de ne pas avoir d'attentes, et comment agir avec ceux qui ont des attentes envers-vous.

(C-58) LA MÉDITATION ET SES BIENFAITS

Y-a-t-il des désavantages ou des dangers à la méditation? Faut-il pratiquer une technique de méditation particulière? Apprenez tous les bienfaits de la méditation et comment la pratiquer dans son quotidien.

(C-59) COMMENT DÉVELOPPER LE SENTI

Savez-vous ce que le "senti" veut vraiment dire? Méprenez-vous le "senti" avec les émotions? Comment se fait-il que plus une personne est émotive, moins elle est en mesure de "sentir" clairement? Découvrez comment développer et bien vivre avec votre "senti".

(C-60) BIEN MANGER TOUT EN SE FAISANT PLAISIR

Comment arriver à "bien manger" tout en se faisant plaisir et sans vivre de la culpabilité? Que doit-on faire lorsqu'on a le goût de manger quelque chose qu'on n'a pas vraiment besoin? Découvrez des moyens pour faire la transition entre manger d'une façon "normale", à manger d'une façon "naturelle".

(C-61) LE COUPLE IDÉAL
À venir en août 93

(C-62) LES BESOINS DU CORPS PHYSIQUE ET ÉNERGÉTIQUE
À venir en septembre '93

(C-63) LES BESOINS DU CORPS ÉMOTIONNEL
À venir en octobre '93

(C-64) LES BESOINS DU CORPS MENTAL
À venir en novembre '93

(C-65) LES BESOINS DU CORPS SPIRITUEL
À venir en décembre '93

(ED-01) COMMENT ÊTRE À L'ÉCOUTE DE SON CORPS

L'adaptation audio du best-seller "Écoute ton corps, ton plus grand ami sur la terre". Lise Bourbeau vous partage sa philosophie d'amour et accompagnée des voix de France Castel et Robert Maltais.

(F-01) COMMENT ÉVITER UNE SÉPARATION OU LA VIVRE DANS L'AMOUR. (PARTIE I)

Dans cette conférence, Lise Bourbeau donne des moyens concrets pour éviter une séparation. Si elle devient inévitable, comment la vivre dans l'amour en limitant les répercussions sur soi ou l'entourage.

(F-02) COMMENT ÉVITER UNE SÉPARATION OU LA VIVRE DANS L'AMOUR. (PARTIE II)

Les questions et les réponses qui ont suivi la conférence de Lise Bourbeau. Le sujet y est détaillé davantage et éclaire de nombreux points d'interrogation.

Commandez au (514) 229-6564 ou 1-800-361-3834

Cassettes de détentes dirigées

Cassettes de détentes dirigées et méditations: durée 60 minutes
Prix: 11,95$ (taxes en sus)   Poids: 100gr

(ETC-33) Détente dirigée "Je suis"
Face I: Une détente de base de trente minutes pour devenir conscient de vos désirs et besoins dans plusieurs domaines de votre vie.
Face II: Trente minutes de musique de détente.

(ETC-12) Détente dirigée "Communication"
Face I: Une détente de trente minutes qui vous donne l'occasion de communiquer énergétiquement avec quelqu'un soit pour une demande soit pour un partage ou un pardon.
Face II: 30 minutes de musique de détente.

(ETC-13) Détente dirigée "Petit enfant"
Face I: Une détente de trente minutes qui vous met en contact avec le petit enfant en vous et dans les autres. Cette détente aide à mieux accepter vos peurs et à ressentir de la compassion.
Face II: 30 minutes de musique de détente

(ETC-14) Détente dirigée "Situation à changer"
Face I: Elle vous aide à devenir conscient d'une situation pénible à vivre. Vous découvrirez comment vous pouvez transformer votre vision de cette situation en la revivant dans l'harmonie plutôt que dans les émotions.
Face II: 30 minutes de musique de détente.

(ETC-16) Détente dirigée "Abandonner une peur"
Face I: Cette détente est un extrait de la Technique abandon enseignée dans un atelier de fin de semaine. Cette technique agit directement dans le corps d'énergie en affaiblissant la résistance qui crée le blocage émotionnel et énergétique. Elle a pour but de vous aider à lâcher prise d'une peur, d'une émotion, d'un stress ou de quelque situation difficile à vivre.
Face II: 30 minutes de musique de détente

(ETC-03) Méditation "Je suis Dieu"
Face I: Vous pouvez méditer pendant 30 minutes avec le mantra d'Écoute Ton Corps.
Face II: Une autre méditation de trente minutes avec musique seulement.

(ETC-21) Méditation "Notre Père"
Face I: Explication méthaphysique du Notre Père par Lise Bourbeau ainsi que la prière chantée par Monique Bertrand, auteure et interprète de la chanson Écoute Ton Corps.
Face II: Méditation en trois parties, 10 min "Je suis Dieu" chanté, 10 min. attributs de Dieu par Lise Bourbeau,
10 min. musique seulement.

CHANSON

(TMB-2424) Je veux chanter l'amour *(Prix: 13,00$)* *Poids: 100gr*
Avec sa belle voix, Monique Bertrand veut partager avec vous quelques moments vibrants d'amour dont la chanson thème *Écoute Ton Corps* ainsi que deux autres de ses compositions. Quelques autres titres: L'amour en héritage, Deux fois plus qu'à vingt ans, Quand on a que l'amour, The Impossible Dream, etc.

Téléphonez et obtenez un service de commande rapide

LIVRES DELA COLLECTION
ÉCOUTE TON CORPS

(LC-01) LES RELATIONS INTIMES
Prix: **9.95$** *sans taxes*   **Poids:** *200 g/ch.*
Lise Bourbeau répond à vos questions sur:
Les Relations Intimes.
Elle répond aux questions qu'elle a reçues lors de ses conférences et ateliers depuis quelques années. Ce livret est le premier d'une collection de 21 sujets différents.

(LC-02) LA RESPONSABILITÉ, L'ENGAGEMENT ET LA CULPABILTÉ
Prix: **9. 95$** *sans taxes*   **Poids:** *200 g/ch.*
Lise Bourbeau répond à vos questions sur:
La Responsabilité, l'Engagement et la Culpabilté.
Elle répond aux questions qu'elle a reçues lors de ses conférences et ateliers depuis quelques années.

(LC-03) LES PEURS ET LES CROYANCES
Prix: **9.95$** *sans taxes*   **Poids:** *200 g/ch.*
Lise Bourbeau répond à vos questions sur:
Les Peurs et les Croyances
Elle répond aux questions qu'elle a reçues lors de ses conférences et ateliers depuis quelques années. Ce livret est le premier d'une collection de 21 sujets différents.

(LC-04) LES RELATIONS PARENT - ENFANT
Prix: **9. 95$** *sans taxes*   **Poids:** *200 g/ch.*
Lise Bourbeau répond à vos questions sur:
Les relations Parent - Enfant
Elle répond aux questions qu'elle a reçues lors de ses conférences et ateliers depuis quelques années.

Téléphonez et obtenez un service de commande rapide

BON DE COMMANDE

LISTE DES PRIX
TOUS LES PRIX SONT À L'UNITÉ
(les taxes sont incluses)

	QUÉBEC	CANADA	AUTRE
LIVRES (400g/ch)			
	$18,14	$18,14	$16,95
LIVRES DE COLLECTION (200g/ch)			
	$10,65	$10,65	$9,95
AGENDAS (500g/ch)			
	$14,97	$13,86	$12,95
ALBUMS CASSETTES (300g/ch)			
	$34,61	$32,05	$29,95
JEUX DE CARTES (100g/ch)			
	$17,28	$16,00	$14,95

Quantité	CASSETTES (100g/ch)		
1 à 2	$13,81	$12,79	$11,95
3 à 10	$12,44	$11,52	$10,76
11 à 20	$11,75	$10,88	$10,16
21 & plus	$11,05	$10,23	$9,56
TMB-2424	$15,02	$13,91	$13,00

(Prix sujets à changements sans préavis)

✂ -

# PRODUIT	QTÉ	TOTAL	POIDS (g)

EUROPE ET MARTINIQUE

SOUS-TOTAL		TOTAL
FRAIS DE MANUTENTION		
TOTAL		

FRAIS DE MANUTENTION

(taxes incluses)		bateau	avion
EUROPE	0 à 1 kg	= $15,00	$32,00
et	1 à 2 kg	= $18,00	$35,00
	2 à 3 kg	= $21,00	$45,00
MARTINIQUE	3 kg & plus	= $30,00	$65,00

(taxes incluses)	Service normal *(1 à 2 semaines)*	Service accéléré *(moins de 1 semaine)*
QUÉBEC :	$3,00	$5,00
CANADA : *Autres que le Québec*	$4,00	$6,00
ÉTATS-UNIS :	$5,00	*Téléphonez-nous*

ÊTES-VOUS INTÉRESSÉ À RECEVOIR NOTRE PROGRAMME À TOUS LES SIX MOIS?

SI OUI!

Appelez nous dès maintenant

(514) 229-6564
ou si interurbain
1-800-361-3834
FAX: (514) 229-9915

------------------------------- ✂

POUR COMMANDER ARTICLES

Paiement par chèque ou mandat-poste à l'ordre de:
ÉCOUTE TON CORPS,
1455 Chemin Ste-Marguerite, Ste-Marguerite Station (Ste-Adèle), Québec J0T 2K0

EUROPE et ÉTATS-UNIS: Mandat international en fonds canadiens
ou par carte de crédit.

Pour un service plus RAPIDE, effectuez votre paiement par carte de crédit:

VISA ☐ Numéro: [ ][ ][ ][ ][ ][ ][ ][ ][ ][ ][ ][ ][ ][ ][ ][ ]

MasterCard ☐   Exp.: [ ][ ] / [ ][ ]
                                             mois   année

Nom du titulaire: _____

Signature: _____

Nom: _____
Adresse: _____
Ville: _____
Code postal: [ ][ ][ ][ ][ ][ ]

Tél. résidence: ( )
Tél. travail: ( )

XVI